林懷民

蟬

目錄

序
蟬與蟬蛻／王德威 005
蟬的全球化／紀大偉 009
前世煙塵／林懷民 014

穿紅襯衫的男孩 017
虹外虹 045
逝者 075
蟬（上部） 109
蟬（下部） 163
辭鄉 209

【序】

蟬與蟬蛻——重讀林懷民的《蟬》

王德威

「明年，如果我們明年再來，還會有蟬嗎？」

「當然有，可是那是另一批新蟬。」

林懷民的中篇小說《蟬》接近尾聲，兩位主人翁陶之青與莊世桓這樣的對話著。那個夏天兩個年青人和他們的朋友一起渡過了一段狂放的日子。留洋還是入伍，愛情還是學位，這些當務之急暫且放在一邊。他們群集在「明星」和「野人」，喧嘩議論，狂歌縱飲甚至嗑藥，這是披頭四與Joan Baez的盛世，台北摩登的起點。一切躁動不安，沒來由的興奮卻總掩不住一種莫名的感傷。然而就在故事中點，當這群慘綠男女在西門町夜市逛蕩，突然聽到一聲蟬鳴。「遼遠而切近，陌生而熟悉，那麼纖弱，又那麼清晰。」青年莊世桓一陣冷顫，同時又被「一份從未有過的欣奮與幸福之感淹沒了。」

這已是三十多年前的事了。《蟬》寫於一九六九年，宛如為六〇年代台北的青春文化作一總結，時移事往，當年的陶之青、莊世桓於今安在？寫完了《蟬》後，林懷民自己不久也退伍出國，開始人生另一段路程。他曾因《蟬》、《穿紅襯衫的男孩》等作，一鳴驚人，但不過幾年，他卻要改弦易轍，另尋藝術生命的寄託。多年後，他以資深舞者的身份重看少作，竟有了「前世煙塵」之感。

這，大概是我們重新體會新版《蟬》的方法之一吧。昨日的蟬，今天的蟬蛻。林懷民回顧來時的文學之路，必有不能已於言者的感慨。年少的輕狂、憂疑、憧憬與徬徨，好像曾經寫不盡、說不完。驀然回首，他卻畢竟看出其中鄭重而輕微的騷動，認眞而沒有名目的鬥爭。他於是能以一種有情卻擔待的眼光，邀請我們一起回顧一個世代的風格，一種寫作的特徵。

青春與死亡這兩個看似不相干的題目，在林懷民的作品中不斷糾纏出現，形成揮之不去的蠱惑。《虹外虹》裏那個嗜讀海明威的青年，一個下午的碧潭游泳可以演練成一場生死好戲；《逝者》裏的哲生因親人與誘惑也惟有在死亡陰影下，才更顯得可觀吧？面對室友的禁色之愛，《蟬》裡的莊世桓反應曖昧：「管他去死」。而誰又能比《穿紅襯衫的男孩》裡，那熱愛機車、也因此付出生命代價的男孩，更體現了林懷民筆下世代的精神圖像？「一個人總要屬於自己的東西，自己的顏色。」男孩生前如是說。

林懷民的文筆流暢，意象精煉，一下筆就有老手氣派。但嚴格來說，他的作品不多，擱筆又早，因此不免留下可以琢磨的痕跡。他的敘事者都是年輕易感，猶缺世故的大男孩；他所要講的故事，也多半與（遲來的）青春啓蒙有關。前述的《虹外虹》與《逝者》因爲有意納入過多事件或理念，故而顯得侷促。相形之下，《蟬》正因有了足以揮灑的篇幅，才好讓故事的激情與感傷渲染開來。至於成於愛荷華寫作班的《辭鄉》，如林自述，寫得已「有點學院氣」了。林懷民的青春物語至此戛然而止，可以理解。

蟬的世界，青春的世界，短促的劫毀，幽長的迴聲。然而即在彼時，林懷民已經不止於寫蟬鳴，也寫蟬鳴之餘的種種。《虹外虹》裏的青年儘管歷經自以爲是的生死試鍊，他必須了解世界未嘗因此稍息，「太陽依舊升起」。《逝者》中的哲生前一天還參不破生離死別，第二天起來又要穿衣吃飯了。死亡並不能戰勝青春，但生命本身的物質性卻銷磨了青春所含納的衝動與銳氣。當年的林懷民顯然察覺了這一威脅，但或許正因爲年輕，已足以讓我們觸目驚心。我指的不是小說結尾部份，在其中林交待各個角色那個夏天之後的下場。從狂放歸於平淡（出國後，陶之青居然洗盡鉛華，學著唱平劇了！）這是刻意的對比安排，早可料見。但我更有興趣的是小說中段，野人咖啡館狂歡的一幕。咖啡館裡煙霧彌漫，人聲嘈雜。莊世桓心有旁鶩，遊目四看，竟盯上一隻空的可樂瓶子，「身上爍著一方模糊的光，立得筆直，黑影覆在四週。」他思緒紛亂，忽地又看見那若隱若現的瓶影：「那隻瓶子，突突然然由黑地裏躍出，不動聲色，拿那死魚眼珠般的光芒，冷冰冰地瞪著他……。」

這隻空的可樂瓶子，就那樣冷冰冰的看著「野人」裡狂野的男男女女。相對於西門町蟬鳴所帶來的片刻啓悟，這隻空瓶子顯得毫無意義，但它枯寂的「死魚眼珠般」的反射光芒，卻照出了林懷民青春視野裡的洞，一種絕然沒有意義的意義。《蟬》在喧囂涕笑外所帶給我們的震撼，莫此爲甚，而議者論台灣現代主義的物象表徵，從虛無到充滿，也不妨由是開始。

林懷民寫作《蟬》的時代是台灣現代主義由盛而衰的階段。王文興、陳映眞、水晶、白先勇、施叔青等，多有佳作問世，而較年輕的李昂等正趕勢蹶起。與此同時，鄉土文學已然自成氣候，王禎和、黃春明等以不同筆觸，倒使我們正視台灣斯土那邊文化革命，這邊文化復興；美國越戰、法國工運學潮……一股不安的氣勢，似乎一觸即發。而青年林懷民在這許多紛擾中，聽見了幽遠的卻也尖銳的蟬鳴。「纏纏綿綿迴繞心房。」就像小說中的男男女女，他有了莫名的感動，不能不提筆爲文。那是林懷民的青春時期，也是台灣戰後的青春時期。有那麼多的不可能，可是也有那麼多的可能……。

三十多年後重看少作，林懷民可曾想到莊世桓與陶之青的那場對話？年復一年，蟬聲不輟，但隔年鳴唱的總是一批新蟬。功成身退，看著自己的文學蟬蛻，他應當是歡喜的吧？

我想到了《西遊記》末，唐三藏經過了八十一難，正待過凌雲渡，赫然河中漂來浮屍，欺身近看，原來竟是自己的前身。沒有了《穿紅襯衫的男孩》，沒有了《逝者》、《辭鄉》。有的是《焚松》、《水月》、《流浪者之歌》。字跡漫漫，肉身老去，一切不可恃。彷佛之間，我們卻隱隱約約聽到蟬聲傳來，若有似無，亦近亦遠。知了知了，好了好了。當年的蟬意，於是有了禪意。

【序】蟬的全球化

紀大偉

林懷民寫完《蟬》數年之後，我才出生。

但幾次閱讀《蟬》的經驗居然也引起我的鄉愁。不過，既然《蟬》容易讓人懷舊，我便偏要另覓閱讀途徑。我暫時擱開「聚焦」的閱讀方式，而改採「失焦」的視野。

爲了方便說明，我借用劇場的意象。我不去觀注鏡框式舞台（所謂的「第四道牆」）上的焦點，反而以眼角「餘光」留意舞台邊緣的幽微。聚焦的台上誠然熱鬧，但失焦的台下何嘗沒有好戲？舞台之外是燈光黯淡的觀眾席，然而看戲的任何一名觀眾都可能突然跳上舞台影響戲的進行。就算觀眾沒有衝入鏡框式舞台，舞台之內的演員也對舞台之外的暗影耿耿於懷。

耿耿於懷什麼？比如說，就「國家」（nationality）而言，舞台上呈現台灣，演員耿耿於懷的卻是舞台之外的美國。逐一淡出舞台的小說人物相互問道，「要不要出去？」不必點明去哪裡，大家心照不宣，當然是去美國啊。去美國幹什麼？當然是留學。

也可以談談「性的社會關係」（sexuality，俗譯爲「性意識」，但本人認爲太唯心，堅持改譯爲「性的社會關係」）。舞台上男女歡愛，演員耿耿於懷的卻是喃喃自語。異性戀光明正大，而同性戀陰魂不散。神祕人物吳哲雖然一直缺席，但他也同時無時不在，永遠懸在男主角莊世桓心上。因此，我們豈可只看台上，而忽略台下？

性的社會關係就留給讀者自行玩味吧！在此，我想側重於國家的問題。

在洛杉磯住久了，我對現實的理解越來越薄弱，不知自己身置何時何處。重讀《蟬》，我正可以檢視我的幻覺。記憶中的台灣，似乎比日常接觸的美國還更加「美國化」，或，更具異國情調：又，除了空間之外，時間也錯置了。幾十年前的台灣文學，可能比近年的小說更「美國化」。亦即，台灣比美國更像美國、昔日台灣比當下台灣更像美國。《蟬》映照了幻覺：麗仕香皂，Mustang，好萊塢明星，美國電影諄諄善誘的生活情調，甚至美軍橫行四處。這些細節時空錯亂，卻又一本正經。

其實，這幻覺有幾分物質基礎：台灣向來是美國文化的傾銷地之一，滴在小島上的美國文化乳汁濃得化不開。在《蟬》的年代，台灣是冷戰時期的苦海孤雛，難免更仰賴美國的奶水。對當時戒備森嚴的台灣而言，美國甚至比整個世界還要大塊。

如果忽視冷戰的背景，就無法充份辨識林懷民的生命軌跡。雖然林懷民小說中的焦點人物大抵是享受文化資本的秀異分子（亦即，吃最多美國奶水的角色），但他也書寫經濟層面和文化層面的無產階級。美國魅影幢幢，而林懷民心懷疑慮。後來林懷民和雲門舞集汲汲尋求中國／台灣的元素，其動機似乎也是爲了背對／反對西方。雲門舞碼《薪傳》當年造成轟動的直接原因之一，正是台灣和美國的關係生變，既然美國從觀衆席撤出了，我們自己人就要把掏空的觀衆席塡滿。

不過，即使背對美國，取代美國，這些努力的動作本身反而更加鮮明地顯示：其實，我們對美國眞的在乎極了。但，我認爲此種「後殖民」情意結是歷史的必然，無關是非：以「後殖民」論述的角度解讀林懷民的種種作品，反而有助於認識我們如何走到今日。

時至今日，美國仍是台灣的主宰之一，而冷戰終結與否也還是疑題。前世／今生之間的連續環結，不宜輕視。美國奶媽和冷戰佈署這些歷史建築，至今仍享有今生，歷久彌新；同理，我們此刻遭逢的「新詞」，是否也有前世？我想大略提及的新詞，即熱騰騰的「全球化」。

出生於印度的學者阿帕度賴（Arjun Appadurai）在《無疆界的現代性：全球化的文化面向》（Modernity at Large: Cultural Dimensions of Globalization；「at Large」一方面固然指「大體而言」，另一方面也指「擺脫任何國家疆界的」）中指出，近二十年來，「遷徙」（如各種移民，含難民潮）和「媒體」（從文字，電視到網路）兩大因素決定了「全球化」時代的生成。台灣當然也是全球化佈局中的過河卒子：「遷徙」（如移民，觀光，以及台商外移）不斷把人吸往外國，而「媒體」（美日流行文化）不斷把外國引進台灣。台灣的疆界其實是容易穿透的細胞膜。

雖然《蟬》的年代遠早於二十年前，不過阿帕度賴指出的「遷徙」（台灣人赴美留學，美軍駐台）和「媒體」（如美國流行歌曲）也是《蟬》的特色。所以，《蟬》也是展現全球化的文本嗎？是的，沒錯。全球化並不是全新的現象：中國和台灣千百年來都和域外進行甘願或不甘願的交流（包括各宗教傳入中國，列強殖民等等），只不過殊異的歷史結點各自孳生了形形色色的全球化遊戲法則。全球化一直存在，只不過彼時的全球化絕對不等於此時的版本。

《蟬》的全球化似曾相識，但究竟和現今版本不同。阿帕度賴認爲，最近二十年內的全球化發展具有高度「普遍性」，即，人人難以倖免：近二十年的「遷徙」（再窮的人也可能有個表姐在國外當廉價勞工）和「媒體」影響了大多數人口（再窮的人也可能看美國電錄影帶），並非只有少數菁英才得以參與全球化。

而《蟬》的全球化並沒有開放給大多數民衆，只有少數人才是全球化的弄潮兒。記得在那個肅殺時代，台灣民衆並不能自由離開島嶼，若要出國，美國是少數正當目的地之一：若要去美國，留學是少數正當理由之一。能夠在島內吸收美國奶水的人口有限，能夠去美國朝聖的人口更少：因此，全球化在當年台灣並不具備阿帕度賴強調的「普遍性」。美國奶水在當年壓抑的台灣不見得擴散，反而在疆界之內更加濃縮，只在少數人口之間形成迴路（circuit）。迴路裡的美國奶水像煉乳一樣粘稠，謂為奇觀，於是具體而微的台灣看起來比大而無當的美國更像美國，當年的台灣看起來也比現在的台灣更像美國。封閉迴路中的美國是「虛擬眞實」的產物，竟比現實中的美國更逼眞。

也因爲這濃縮的煉乳，不少台灣人比受過中上教育的美國人掌握了更多關於美國的知識。昔日如此，至今猶然。《蟬》裡頭的人物，絕對比許多美國大學生更通曉美國，或老實說，更聰明。

林懷民另外一本小說集《變形虹》所收錄的《安德烈·紀德的冬天》在一九六七年冬天寫完，比《蟬》稍早，可說是《蟬》的前身，不妨對照比較。當然，《安德烈·紀德的冬天》也値得以失焦的餘光閱讀，文中對「國家」和「性的社會關係」仍然耿耿於懷，也仍然錯置。失焦閱讀林懷民的諸篇小說，讀者可以發現，後殖民性格、現代性、全球化早就銘刻了我們。林懷民早在三十多年前寫的小說，除了鄉愁，也提醒我們重讀歷史。

（自由作家，現於美國加州大學洛杉磯分校攻讀比較文學博士）

【自序】

前世煙塵

去年吧，也許是冬天，在捷運車上，有人向我問起莊世桓的事。

我記名字的能力很差，心想又忘了一個應該記得的人名，愣愣問他：「莊先生現在在那裏工作？」

問話的讀者笑彎了腰。

人在江湖，雲門的雜務不斷，跑的碼頭也多，坐下來發呆憶想的時間很少。寫作的歲月，竟像前世煙塵地忘懷了。

在《蟬》這冊小書裏，除了最後一篇《辭鄉》成於愛荷華小說寫作班，因此有點學院氣，其餘四篇則是預官十個月的產品。

我被分發到通訊指揮部。在新店，坐辦公桌，其實無事可辦。也許讀多了海明威，上班一週後，我上簽呈請調金門，立刻成爲辦公室笑柄。主管說，林少尉，看你還是個大學畢業生，頭腦這麼不清楚。

壯志未酬，我就老老實實坐下來，寫小說。寫到瓶頸，不免溜到碧潭游泳，或搭下班的交通車，到西門町混一個晚上。

常有人問我爲什麼不再寫。理由很簡單，沒有時間。我再也不曾擁有那樣漫長，無事，而且無聊的時光。少年時提筆，往往出於不知拿自己怎麼辦的無聊。還未眞正介入生活，只能把某些情緒，某些聽來的事情，一點點因爲沒有切身經驗所導致的渴望與恐懼，誇張地寫下來。只是一些感覺。

《蟬》出版後，引起很多迴響，我有些吃驚。也許我碰觸到那個時代年輕人的某些苦悶吧。眞正讓我訝異的是，三十多年來，總有人問我陶之青是誰：《蟬》曾改編爲舞台劇和舞蹈，也有人想拍成電影，電視。青年導演鄭文堂竟然告訴我，他由宜蘭初上台北唸大學，頭一件事就是去拜訪《蟬》裏的人物去過的地方。這本小書曾有仙人掌和大地的版本。十多年來，常常有出版社希望再版。我始終覺得那是前世的作爲，沒有太大的意義，甚至有點尷尬。

在商業文化蔚爲主流的時代，詩人初安民以十五年的生命專注地主編聯合文學，爲台灣保住最後一個文學雜誌，也培植了許多位新世代的作家成績斐然，令人感佩。今年，安民離開聯文自創印刻出版社，對我重提《蟬》的再版。因爲尊敬，我就鬆了口。答應了，心裏又反悔，可是已經來不及了。

校對少年時的作品，往事忽忽由煙塵中閃現。我看到讀完「看海的日子」的自己坐在政大男宿木床上，掩面哭泣；看到自己在街頭抓住公共電話話筒，急促地跟朋友報告剛讀到的「永遠的尹雪艷」。六十年代，陳映真，白先勇，黃春明，王禎和，王文興，像放煙火般，短短幾年內連續推出傳世的傑作。他們滋潤我，刺激我，鼓舞缺乏信心的我。我想藉這個機會向這幾位兄長輩的作家致意。除了王禎和早逝，他們都還在寫！王文興仍然每天寫三百字。每天。

我也要向葉石濤先生特別致謝。不管我寫得如何離經叛道，或荒腔走板，他始終不把我當小孩，總是以理解的眼光看待我，用他那自嘲式的幽默讓我知曉寂寞，甚至貧困，是作家的本份，而焦慮是突破前必須付出的代價。

如果沒有那段文學的歷程，沒有這些前輩的啓迪，我後來的舞蹈生涯必然大爲不同，很可能已經早早收攤。

不管是文學或舞蹈，創作應是生死以赴的志業，而不是邁向飛黃騰達的敲門磚吧。

我這樣期待自己，也以此和年輕創作者共勉。

二〇〇二年四月一日

穿紅襯衫的男孩

第一次看到小黑，我並不喜歡他。

也許因爲他頭髮太長，百結蛇纏的，兩道髮腳直拖腮邊。也許因爲衣服太紅、太髒——我一向看不慣男孩子穿紅戴綠，何況那麼鮮明，帶有侵略意味的紅。

也許全不是，而是爲了他那蠻不在乎，彷彿天塌下來，也不會眨一下眼睛的態度。似乎他是另一個種族，我生活圈子以外的陌生的種族。

出了馮家，嘉克點上一根菸，開始抱怨，說馮師母想兒子想瘋了，連這種太保似的浪兒也往家裏迎。

太保？或者不至於那麼糟。但小黑那副模樣，在馮老師雅緻的客廳中，的確顯得格格不入。

這不過是我們的感覺，他可自在得像在自己家裏。這本書翻翻，那個花瓶摸摸，沙發上一坐，抓根菸，蹺起二郎腿，悠閒地吞煙吐霧起來。

那天小黑是到馮家修電唱機。馮祖母直誇他行，抽水馬桶不通，自來水管漏水，什麼壞了，他三下兩下就弄好。前院葡萄架也是小黑搭的。不像我們這群大學生，除了讀死書，光會玩。有一晚大家聊天，聽唱片、燒咖啡、烤麵包，叭的一聲保險絲斷了，一屋子黑，沒人會修。

小黑咧著嘴傻笑，露出一口參差不齊的白牙，右腳一挑一挑地玩弄那隻破得可以丟進垃圾桶的拖鞋，活像他眞的行得不得了，眞的比我們強。

馮老師握住他那根出名的菸斗，望著小黑，一個縱容的笑把臉上的皺紋拉得好柔好柔，跟在課堂上的神情儼然兩個人。

嘉克是個受不了冷落的人。聽見馮師母左一句小黑，右一句小黑，再也坐不住，要請馮老師寫推薦信的事也不提了，拖著彬美和我告辭。

彬美一肚子不高興，等到嘉克嚕嗦起來，立刻開口頂他：

「少說兩句吧。你只是嫉妒。人家什麼地方得罪你啦？看多了你們這些自以爲了不起，裝模作樣的臭男生，倒覺得他很可愛，要笑就笑，自自然然的。」

嘉克總算吃了一驚，托了托眼鏡，還未回嘴，彬美意猶未盡又加上一句：

「有時，我覺得像小黑這種人才是眞眞正正的在活著。不像我們——」

「媽的！」嘉克一氣急起來，粗話就出了口：「妳去追他好了，沒人攔著妳！」

我最怕他們吵架，夾在中間，不知幫誰才好，萬一鬧翻了，我又有幾天好看嘉克那份又悔又急，又硬著嘴巴不肯道歉的難過相，所以趕快說，我要先走一步，回去趕讀書報告。

或許以前也見過小黑，因爲不認識也就沒注意。那夜之後，他倒像突然由哪個角落跳出來似的，一個禮拜內總有兩三回碰到他在學校附近晃來晃去，或在「山東味」看到他埋頭猛吃放了好多辣椒的大碗陽春麵，大半穿著那件火一樣紅的襯衫，和磨得發白的牛仔褲。

一天晚上，從圖書館出來，又在麵店遇上了他，吃完兩人一道走。

馮師母說他是高中畢業的。我沒話說，就問他，幹嗎不上大學？這樣混日子有什麼意思？

小黑一揚眉，反問我，讀大學有什麼用？如果不愛讀書，只是看人家念，自己也跟著念，又算什麼？

他說，他從小就對書本沒興趣，他老子怎麼打他，也沒「屁用」。好容易高工畢業，當完兵，他老子說他是老大，應該留在家幫忙種地。他不幹，一個人跑出來討生活。

「做些什麼呢？」

「啊，多了。起初上山當測量員，我在學校學礦冶，別的沒學好，簡單的測量倒會了。那個測量工作結束後，回台南畫電影廣告，後來又在一家水電行做，做了四個月吧，跟老板兒子打了一架……」

「怎麼回事？」

「幹，那傢伙不是東西，把一個店員睡大了肚子，哄她到高雄冰果室當侍女，把孩子打掉，就不睬人家了。」

「就爲這件事？怎麼啦？你喜歡那個女孩子？」

「沒這回事，」小黑把手一揮：「那女的長得根本不登樣。是後來他一天到晚折磨一個國小畢業的小學徒，我看不過，和他吵起來，他以爲自己是少東可以揍人，刮我一記耳光，媽的，我就幹啦！」

「哦。」

「剛好那時候一位同學來找我上船打魚，我就出海啦。不過也沒幹好久，我好容易厭煩，什麼都做不長。」他一縮肩膀：「乾脆跑到台北打零工。」

「爲什麼不回家呢？」

「不是說種地有什麼不好，只是我待不住，天天守著那幾分地，好沒意思！我喜歡打零工，你高興接多少就接多少，不高興幹就不幹，不必看人臉色。我喜歡台北，讓你覺得只要你肯拚命苦幹，有一天，你也能有那許多東西，許多錢。」

他說得那樣起勁，我不得不承認彬美是對的，她說小黑有那麼點逗人喜歡的地方——有股子勁兒，而那是我身上最缺少的。

冷不防，小黑問我：

「你將來幹什麼呢？夏天你就要畢業了。」

「當兵啊。」

「我是說當完兵以後。」

我自然明白他是問當完兵以後做什麼。可是，我不知道我要幹什麼。

「你也要去美國留學嗎？」

我想我是有點想出去的，大家都出去。大家都說，成績這麼好，不出去實在可惜。嘉克和彬美是說什麼也要走的，正密鑼緊鼓地申請學校。可是，芸康已經跟我攤牌了：「要走你自己走！」

她一天到晚說，看那些小說，留學生日子是怎麼過的！我說小說大半是假的。她馬上又說，她一個遠房堂姐去了三年，倒有一年住在精神病療養院，還是她同學寄信回來講開，家人才知道，還以為她在新大陸享福呢。

「留在國內，一樣可以發得起來的，」芸康振振有詞：「如果你那麼想出去，等將來有錢出去玩一趟，環遊世界什麼的，還不是一樣。我們可以努力賺錢，賺夠了，去玩一趟，回來再從頭幹起。」

至於她自己，她才不在乎不出去。地最大的願望是：有一天能拋開一切，到陽光下，舒舒服服地打一場高爾夫球；那片草地看起來好迷人，在上邊走一定好安逸……

那麼，就不出去吧。倒不是非留著陪芸康打高爾夫球不可，說實話，我也不懂出去幹嘛。不過，不出去又幹什麼呢？教書吧，我這麼懶散的人教教書最好。

我便對小黑說：

「也許教書吧。」

「教書有什麼好？苦巴巴的，一個月就拿那麼兩三千塊，現在我就能掙那麼多，如果運氣好一點的話。」

「可是，你難道不覺得這種生活不太穩定，太沒有保障了嗎？」

「誰管那些！我喜歡這樣自由自在。死不了的！」他的口氣大得可以喝下一整個太平洋的水，聳聳肩又說：

「咦，你的口氣倒跟馮太太一個調調，她一有機會就勸我安定下來，成家立業。哈，成家立業——我剛從教授家來的。你曉得我去幹嘛？替他們釘雞舍。馮太太說她要開始養雞了，眞是活見鬼。他們家又不少這兩個錢。兒子養大了，一個個出去了都不回來，這會兒又要養雞！」

我曉得馮師母爲什麼要養雞。每次去他們家，總看到她在打毛線，打了一件又一件。馮老師說美國東西多得很，用不著她費心。師母才不聽他的，照打不誤。帽子、圍巾、襪子。只是從前替兒子女兒打，現在也給三個孫子打。馮老師自己雖不打毛衣，卻也無所事事，躺椅上一倒，咬著煙斗看少林門徒與武當派爭霸，看膩了，站起來，背著手，在客廳裏，踱過來，踱過去。

我自然不會告訴小黑這些事，說不定他知道的比我更多。剛好到了我住處，我隨口說，我住二樓，沒事來玩。

過了十天左右，小黑眞的來了，不過不是來看我。房東找他來油漆新翻修的幾個房間。

一連兩天，整個房子瀰漫著刺鼻的新油漆味，以及小黑圓潤宏亮的口哨——成曲成曲的流行歌。連嘉克也說，想不到這小子吹的這麼一口好口哨。

九月底的週末，和幾個同學去爬觀音山，回到家，帶著一身臭汗，衝上樓，急著洗個澡。

門半開，嘉克不在，小黑枕著我心愛的War and Peace，縮著長長的腳，半開口，睡得爛熟，依然是那件紅襯衫，不知幾天沒換，變成黯黯的醬色，滿身油漆顏彩，一腮幫子的鬍髭。

我洗過澡回來，他已坐起，翻著一本畫報。見我進來，掀著白牙一笑，好像不告而入並不是什麼了不起的事。她抓抓蓬草似的亂髮，說：

「幹了三天兩夜的活，幹，眞能叫人垮下來。」東摸摸西摸摸，摸出一包壓得扁扁的新樂園，又開始找火柴。

「幹什麼去了？」我在桌上找到嘉克的火柴，遞給他。

「畫招牌，國慶日用的小牌坊。我一個人包，兩千五，不過錢還要等兩天才拿得到。」

「哦。」我不得不欽佩他，我當家教，被那個小鬼氣得半死，一個月才四百五。

他點上菸，深深吸一口，吐出來，舒展一下身子，說回來累得要死，下了車，懶得再走回他那個「狗窩」，就近上我這兒「休息一下」。

他那個「狗窩」，我去過一回，幫馮師母找他去漆雞舍。馮老師說雞舍漆個什麼勁兒，她一定要，要綠的，眞虧她想得出來。

那回去，小黑不在，他的「狗友」在。狗友，那是他自己說。那地方，在一條拐彎抹角的深巷裏，又髒又黑，白天也要點燈。不過他不在乎：「反正只是個睡覺的地方。」四個榻榻米大，常常擠四個人，有時六七個。那批「狗友」，都是打工的小伙子，有工作互通信息，分著做，大夥兒彼此照應。

「剛剛你進來時，嘉克在吧？」

小黑搖搖頭，說門根本沒鎖，就算鎖了，他照樣可以進來。

「你會開鎖？」

「不，」他夾著菸的手做了一個爬的姿勢，說他可以從走道上的氣窗爬進來，他知道我們上面的窗向來不上鎖。

「哦！」

「我是最會爬了，知道我爲什麼被人叫小黑？我們在高中時，常常看白戲，沒錢買票，翻電影院的圍牆進去，我爬得最快，總是在上邊把那些爬不上來的小子拉上來，這叫『提拔後進』。有回看了部非洲打獵的電影，有一隻小黑猿，鬼靈精，爬上爬下的，他們就叫我小黑猿。後來覺得麻煩，叫著叫著，後邊的猿字乾脆丟了，叫我小黑！」

「你簡直可以去拍武俠片了嘛。」

小黑翻翻眼皮，笑嘻嘻地說：

「還有一年夏天，在台南畫廣告時，一家運河邊的飯店找我畫招牌，畫在三樓外邊牆上，好叫人老遠就看得見。我搭了個架子，搞了四五天才弄好。」

「畫完了那天，我錢也用完了，可是飯店的人一定要等經理看過，才肯給錢。我餓得發昏，只好去找那個在船上做的同學，剛好他也沒有錢，在餓肚子。他是活該，賭三色牌輸光了。我們兩個人口袋的錢加起來，也不夠喝冰水，坐在船上，看著運河裏紅一塊綠一塊的燈光，聽到那家飯店傳出熱鬧的笑聲，只能不住嚥口水。」

「我說，這樣坐下去也不是辦法，讓我上去弄點東西下來吧。誰叫他們不付工錢！等到打烊，我藉口把刷子忘在架上，一直跑上三樓廚房，趁著一個師傅出去倒冰水喝，抓了三隻烤鴨往下扔，那個朋友後邊巷子接。誰知他笨得一隻沒接著，全在泥沙裏滾了好幾趟。怎麼洗也洗不乾淨，不過總比沒吃強。我們拿回船上吃，一面吃一面說，這烤鴨是沾過胡椒鹽的。把每根骨頭都啃得乾乾淨淨，躺在甲板上，兩個人聊著聊著，不知怎的，都睡著了。」

我聽得一愣一愣的，這是怎麼的生活呵！而小黑卻在氤氳煙霧中，拿來當笑話講。

「你常偷嗎？」

「不！」他皺起眉頭，彷彿奇怪我有此一問：「只有這一次，再也沒偷過，眞的。我是氣昏了，氣他們不給錢。」

有些人騙起人來是臉不變色的，而我相信小黑說的是實話。我們坐得這樣近，我可以看到他的眼睛在說他沒扯謊。

「不談這個了！」小黑把菸蒂扔到地板上，用腳搓熄，衝著我喊：

「喂！」他似乎永遠學不會叫我的名字：「這張給我好嗎？」

他把畫報送到我胸前，是一頁機車廣告：「You meet the nicest people on Hondas，你在本田機車上遇見最好的人」。一大隊人馬騎著本田小機車，有帶鬈毛狗的胖太太，帶著女朋友的小伙子，帶花的家庭主婦……

我說你要就拿去吧。

他刷的一聲，撕下來，折進襯衣口袋：

「我搜集機車廣告。我要買一部摩托車。」

「本田？像廣告上的？」

「啊！」他皺鼻、咧嘴，一副鄙夷不屑的神情：「這種小機車只是給娃娃玩的——我要買一百二十西西的，還沒決定要什麼牌子。不過要紅的。」

「爲什麼一定要紅的？」

「不為什麼。一個人總要有屬於自己的東西，自己的顏色。」小黑垂下頭，望著雙手，慢慢地說。

我第一次注意到，他這一個看起來並不碩壯的人，竟有那麼一雙厚實、寬闊、修長的巨掌，上面顏彩斑斑，錯雜地割著大大小小的疤痕和厚繭。一雙生活過的手。

「我高中起，就喜歡穿紅衣服，」他輕輕笑起來：「我老子最討厭我穿，說什麼家門不幸，出了個流氓，他愈恨，愈不許我穿，我愈要穿！」

小黑猛然抬頭：

「憑什麼我要穿得和別人一樣，穿得討人喜歡？名字是父母取的，你沒有選擇的餘地。名字是給人叫的，而衣服是穿著叫自己快活。我喜歡紅色。紅衣服讓我感覺到自己，走進人群中，還認得出自己；鮮紅的顏色提醒你，你還活著，要幹下去！不要睡覺！」

「有些時候，我打不起精神，就希望生點小病，甚至受傷、流血，這兒瘦、那兒疼的。這些感覺都可以告訴你，你還活著。這是很要緊的：讓自己知道還活著！不然你什麼事也做不成。」

我捏著一把剛由浴室帶回來的濕毛巾，怔在椅子上。

從不知穿衣服還有這套大道理——要有屬於自己的顏色！我忽然感到自己好可憐，我沒有自己的顏色！什麼顏色都無所謂。

如果要我由繽紛多彩的顏色中，挑一種給自己，我一定會茫茫然，無從選擇——說不定我也和小黑挑相同的顏色吧。我怎能斬釘截鐵地肯定自己眞正討厭紅衣服呢？我壓根兒沒好好想過這問題啊。我又怎麼曉得，那夜在馮家，我看不順眼小黑的紅襯衫，會不會是因爲自己心底也想穿而不敢穿，才討厭他。

如果世界上每個人都像小黑那麼「勇敢」，穿著各人喜好的顏色，世界一定會比現在更熱鬧更漂亮！

我站起來，把毛巾掛起來，決定不再中小黑的毒，胡思亂想。因爲我居然有了個不倫不類的聯想：照小黑的說法，彷彿我這種情形不僅沒有個性，甚至與人盡可夫的女人沒兩樣！

小黑掏出那頁廣告，認眞看起來。

我倒了兩杯開水，一杯給他。

「那麼，又爲什麼要買摩托車？」

「騎啊！」他臉上又浮現了那份「多此一問」的表情：「噗——泊！泊！泊！泊！」

小黑雙手用勁，抓住看不見的車把，瞇著眼，歪著嘴，兩道粗眉拉得一高一低；一縮脖子，左肩微傾：

「刷——轉了一個彎！卡——開足油門！刷——你一口氣也喘不來，呼吸停止了！只有速度！刷——好過癮！」

他由喉嚨迸出一串模糊的低吼，聽起來不像摩托車聲，倒有點像汽車或噴射機。

車聲中斷，小黑睜開眼睛：

「你會騎摩托車嗎？」

我搖搖頭，不願告訴他，連試一試的念頭也從未有過，看看報上那些騎士喪生的新聞已夠令人心寒。

「看了第三集中營沒有？」

我立刻點頭。

「記得吧？那裏頭，史蒂夫麥昆騎著機車，噗的一下，一蹦跳過鐵絲網。好過癮！能這麼神氣一回，死了也甘心！」他一口氣喝完那杯水。

小黑左手用力往床沿一拍，抿緊嘴，下巴一翹。

「我拼了老命也要買一部！最慢明年。等我拿到那筆兩千五的工錢，再添個五百，湊整三千可以標一個會，我認三份，到過年時，就能滾成四千五。另外，我想辦法再掙一點。然後……」

我忽然受不了他那份咄咄逼人的認眞模樣，和「老子說要做，就做得到」的自信，禁不住開口打斷他的話：

「然後，買車子，後座帶個女孩子，招搖過市。對不對？」

他唇角的一絲笑陡然飛走，眼皮倏然掛下，揚高聲音說：

「才不呢。去他媽的女孩子！」

小黑歪著頭，向我投來一個徵詢的眼光：

「女孩子沒有機器聽話。女孩子像泥鰍，抓不住！」說完哈哈大笑。

他把手一揮：

「不管你怎麼說都無所謂。反正，我有一天要有部摩托車。這是我唯一的夢想。」說著，人一溜，又躺回床上，枕著胳膊，閉上眼，黧黑而沒洗乾淨的臉，浮現一個沉入夢境的笑，安詳、滿足。

我心頭竟激起一陣羨慕之情。儘管已經二十多了，小黑看起來好小好小，是天下最幸福的那種人：單純無知的兒童，整個世界都在他們掌心中。

他一定也對馮師母提過買摩托車的事，因爲幾天後，她對我搖頭，說她愈來愈不明白現在的年輕人心裏打什麼主意。辛辛苦苦，做得要死賺來的錢，不做正經打算，居然要買什麼機車。也不說積幾個錢，娶太太，成家立業。

「這孩子！」師母歎口氣，把頭搖得快斷了：「時代眞的不一樣了！」

久久，很少再看到小黑。偶爾在街上碰面，也匆匆忙忙打個招呼就過去了，沒有多談。

只見他頭髮更長，下巴變尖了，顴骨聳起來，眼眶凹下去。他弄了一輛腳踏車，騎起來滿車零件匡匡作響，老遠就能聽到。

那時已經很冷了，他換了件夾克，忽藍忽紅。我說他到底換了「屬於自己的顏色」。彬美說他還是老顏色，紅的。最後弄清楚，只有嘉克說對了。他說，那小子最會作怪，穿了件可以兩面穿的夾克。

禮拜天我起遲了，快十點鐘才去吃早點，不想在豆漿店遇到小黑。紅夾克灰了一層，眼珠佈滿血絲，無精打彩的，我問他怎麼回事。他說，賺錢！

「現在我什麼都幹了，只要給我錢。」

「你不知道，我那三千塊錢被人倒了。那操他媽的混蛋聽說帶個女人，人家的姨太太，跑到東部去了。我不怕錢要不回來，台灣就是這點兒大。可是，一切又要從頭來。你知道，一輛最起碼的摩托車也要一萬多。」

「何苦呢？小黑，」我放下燒餅油條，勸他說：「你幹嘛要這麼急呢？慢慢來嘛。把身體拖垮下來，有了摩托車，你也別想騎——對了，你爲什麼不分期付款買？」

「我不要！」小黑唏哩嘩啦喝完豆漿，手背嘴上一抹，站起來，要走了：

「分期付款。那是說，錢沒付清，東西還不能算你的。而我要完完全全屬於我的東西！」

——我彷彿和著豆漿喝下了一隻蒼蠅。

眞希望我是個百萬富翁！這樣我便能不費力地買一輛機車送給小黑，雖然我知道他不會要。

五月裏，嘉克和彬美申請學校都有了結果。彬美弄到加州大學的免學費。威斯康辛答應給嘉克獎學金，一學期八百。兩個人樂得什麼似的，只差沒去買鞭炮慶祝。彬美決定先走，嘉克服完兵役隨後就去。

既然連獎學金也有了著落，對畢業考嘉克可不如往日那般賣命了。我唸得焦頭爛額，他倒悠哉悠哉。還剩最後兩門，他也不管三七廿一地跑去看他的電影。

開了幾天夜車，我倦得要死，沒撐到十一點便抱著書，和衣睡過去。嘉克回來，我被他開門的聲音吵醒。

「小黑那小子眞的瘋了！」他一面脫上衣、鬆領帶，一面說，他出去時，看到小黑騎著一輛摩托車，在小街上來來回回地馳得飛快。那輛車，奇形怪狀，擋風玻璃上還畫了一顆紅心，一個裸女。

「也許他買了輛二手貨。」我說。

幾天後，我自己也看到了那輛機車。

我們班上，在系主任的明智決定下，廢棄了傳統的謝師宴，只以寫信來表示我們對教授的感激。事情傳出後，報紙還寫短評讚揚，也有別的學校跟著響應，學我們的榜樣。

可是，沒了謝師宴，到底不十分像要畢業的氣氛。班上幾個人議決，畢業典禮前夕，同學們來次聚餐，不管如何，這是最後一次了。

餐會席設一家西餐館子，吃自助餐。那天，彬美特意穿上新裁的旗袍，又仔細修飾一番，磨磨蹭蹭的，叫嘉克和我等了好半天。三人坐車到中山北路，已遲了二十來分。

剛下車，就看見對面街口聚了些人，人人脖子拉得直直，仰頭往上望。上面，四層樓外，一個人在表演空中飛人。

嘉克是愛看偵探、西部動作片的料子，碰上這等驚險場面，豈肯白白放過。於是，我們也加入看熱鬧的人群。

那人在牆上寫字。沒搭架子，攔腰綁了根粗繩，一端拉上五樓陽台，又直垂樓底，一個小伙子緊緊拉著。

那個不怕死的傢伙，左手攀住繩子，兩腳抵住牆壁，挪出右手，握把刷子，一筆一筆地塗著。「國際畫廊」四個大字，已寫完三個，正在「廊」字上下工夫。

想是顏料用盡，那人把刷子往腰際一插，雙手抓牢繩子，一步一步地沿嵌著光滑的瓷磚的牆壁游走，四樓窗口，另一個人，手伸得長長，提著一小桶顏料等他。

已近黃昏，有點風，一陣又一陣地把繩子吹得繃繃響，把那人頭髮颳得一起一落，褲管灌滿了風，不住往上掀。下邊的人，一個個張口結舌，屏息靜觀，只有讓心跳得像幫浦，頸子仰著發痠的份兒。

「要是繩子斷了怎麼辦？」彬美拂住心口說。

我擔心的倒不是繩子。而是怕那雙長長的，瘦得幾乎沒有臀部的腿會乍然撐不住，挫了下去。看一個人穩在半空中，要上不上，要下不下，比看他掉下來更難過。

嘉克拿下眼鏡，神經兮兮地擦了一遍又一遍，戴上去，四周一望，輕呼一聲：

「那不是小黑的摩托車嗎？」

聽到小黑的名字，那拉繩子的男孩子，猛然轉頭望我們一眼，一額角汗，兩眼發直地衝著我一咧嘴巴。我認得他，阿土，小黑的伙伴之一，我上次去他們「狗窩」，小黑不在，他在，我們還聊了幾句的。

再抬頭，那個攀在窗口弄顏料的人，不正穿了那件要把整棟樓燒起來的紅襯衫嗎？

怪的是，知道他是小黑後，我竟不再擔心。我記起他有一雙多麼有力的大手，記起他告訴我，他被人喊小黑的原因。

「阿土，這是怎麼搞的啊？」

「噓！別跟我說話！」阿土頭也不回地嚷。

他是對的。我閉了口。

然而，沒一分鐘，阿土終究忍不住，開口說：

「這個人，誰也拿他沒辦法。不是說有了新規定，招牌英文字不可以比中文字大嗎？人家要把英文字換成中文。他就搶著要接，說什麼刷去幾個英文字，再寫四個字，就賺五百塊錢，是天掉下來的運道。要他搭架子，他又嫌麻煩，說沒有爲四個字搭架子的道理。我拗不過他。他這個人，說要怎麼幹就硬要怎麼幹，誰也攔不住……」

「快別說話了！」彬美叫起來：「拉好你的繩子！等一下人摔死了，你怎麼辦？」

阿土丟給她一個白眼。

彬美趕緊掩住口，然後又說，她再也受不了，要走了，再說我們已經遲了不只半個鐘頭了。

拐過街角，嘉克掏出手帕擦汗：

「這小子眞是活得不耐煩了，這麼要錢不要命！」

彬美開了口，又要頂他，我趕快給她使個眼色，總算沒發作。

吃過飯出來，彬美一路惦記著小黑不知怎麼樣了。

小黑自然沒有跌死。至少，第二天報上沒這條新聞。而且，他又來找我了。

那是我離開台北前夕，嘉克已捲了鋪蓋滾回台中。我與芸康去看電影，宵夜，送她回家，一個人摸回住處，已過午夜。

脫了衣服，洗過臉，正待熄燈上床。有人敲門。是小黑。很破例地穿了件純白運動衫，把一張臉襯得黑亮。

他說，幾個朋友從南部來玩，「狗窩」怎麼也擠不下，希望能在我這兒過一夜。

「沒問題，進來吧，你可以睡嘉克的床。」小黑不要被子，不像我，這種大熱天還要封得像蒸籠。我拿張毯子給他，疊起來當枕頭。

「嗨，我那天看到你的精采表演了！」

「什麼表演？」

「空中飛人，還看到你那輛美女摩托車。」

「哦，」小黑笑了，眼睛一亮，神采飛揚的：「沒什麼。有人送你五百塊，你總不能不要吧。車子也不是我的，已經還人了。」

他點上一根菸：

「剛剛上哪裏風流？我十一點來過一回，房東說你明天走。」

我告訴他，我下禮拜一入營，剛剛陪芸康看電影去，我們已決定年底訂婚。

「咻！」他吹了一聲長長的口哨。

「說正經的，你自己呢？小黑，」我突然變得像老太婆，一心想做好事：「你自己難道沒想到這一層嗎？家到底是很重要的。要嘛就趁早，一轉眼，我們都會變得七老八老了。」

我簡直不知所云。

小黑還是嘻皮笑臉。

「那句話怎麼說的呢？女孩子像泥鰍？」

他絞起眉，吸了一口又一口菸，把自己囚在那團白濛濛的霧裏，眼光透過重霧，落在窗外的夜黑……

那不是個新鮮的故事。但小黑說起時，我這個沒經歷過情感波折的人，也不了解那是多麼沉重的打擊。

在台南，他幫一個家具店畫招牌，出出入入的，認識了店主的女兒，兩人要好了。女方家裏反對，嫌他沒有錢，沒有固定的事。小黑進電器行做，多少也爲了讓她家人知道他不是不肯定下來，他可以從頭苦幹。他母親請人去提親，被一口回絕了。

「幹，我那時眞想提把刀子，去把她父親捅了。」他說：「可是，我回頭一想，也用不著，只要她肯跟我，我們可以走。不想她翻來覆去就是那句話：她不願傷父母的心。」

於是，小黑把她丟在一家冰店，一個人走了。沒多久，電器行的差事也丟了。

「我第一次出海回來，人家告訴我，她嫁到嘉義去了。才兩個多月的工夫。昨天還在對你說，非你不嫁，今天已變成別人家的老婆。女孩子啊！」

「沒再見面？」

「去年清明，我回家時，在火車上碰見她。她在嘉義上車，抱個小孩，沒地方坐，我站起來，把位置讓給她。她要跟我講話，我沒理她，走到另一個車廂。還有什麼可談？幹！」

「所以，女孩子像泥鰍？」

小黑把菸蒂往外拋，一滴火紅殞失在漆黑中，輕輕一聳肩膀。

「或許我不該這樣說她。人都是一樣的，像魚，抓不住！我對自己也信不過。我怎麼知道，我明天會變得怎樣？——不要說人，就是狗，天天跟你走，說不定有一天看到一條母狗朝牠搖尾巴，你叫破嗓子，也叫不回來了。這個世界，你什麼也不能相信，除了自己的一雙手！」

他微微攤開手，左拇指有一痕新創，想是那天繩子搓傷的。

「你忘了，還有一樣東西。」

「什麼？」

「摩托車。」

小黑淡淡一笑，揮揮手，說不談了。

「睡吧！明天你還要坐半天車呢。」

他自己說睡就睡，踢掉拖鞋，爬上床，翻個身，面朝牆壁，不一會兒，便響起均勻的鼻息。

倒把我一個人留下來，對著天花板，想了好多事。

「隨你說，反正，我有一天要有摩托車，這是我唯一的夢。」

那也許是很踏實的夢。儘管馮師母說那不切實際。可是，做人總要抓住一點東西，才活得下去。像嘉克、彬美一心一意想出國，芸康「有一天，能拋開一切，到陽光下，舒舒服服地打一場高爾夫球」的願望，或者像馮老師看武俠小說，抽菸斗，師母打毛線，養雞，靠幾張藍藍的航空郵簡，把日子打發過去。

小黑買了摩托車以後，是否會發現事情眞的如想像中那般的美好，那是另一回事。重要的是，他有一個可達成的夢，他知道他要什麼，還肯拼了命，付出代價去實現它。

比起他，我不知道自己是幸或不幸，我沒有轟轟烈烈，曲折動人的生活；更糟的是，我迷迷糊糊得過且過，隨遇而安，到底爲什麼活著也弄不清楚。唉！我嘆口氣，衷心希望軍中生活會使我改變，變得更堅強些。

入伍沒兩個月，部隊奉調金門。新的環境，新的人物，新的生活，使我逐漸淡忘了小黑和他的摩托車。

年底，我得到一週假期，回台北跟芸康訂婚，順便回學校領畢業證書，看馮老師。

聽說我訂婚了，馮家二老都很高興。師母還巴巴翻出他們二兒子復活節在紐約結婚的照片給我看。一面說，這一來，只剩下小女兒還未找到對象，不過她並不擔心。在美國，出色的中國留學生多的是。

不知怎麼搞的，我聽了不十分自在，沒頭沒腦地問她是不是還在養雞。

「不養了，」師母說：「吃力不討好！中秋前後，一場雞瘟，三十隻死了二十來隻，剩下的，宰了吃啦。再說，再也沒那份閒工夫啦……」

馮老師接著說，大女兒兩個月前又生了個女兒，美國生活太緊張，一下子照顧不來三個小傢伙，決定過了聖誕，把嬰孩送回來，請外公外婆撫養。

「這一生拖兒帶女，好容易一個個長大滾蛋，想不到臨老又來這個小禍水，只怕以後沒清靜日子過了！」

馮師母立刻瞪他一眼，怪他說什麼「小禍水」。

但，兩個人額上笑得皺成一堆的紋路，卻寫清了他們對這「小禍水」即將帶來的麻煩，是多麼地歡迎惟恐不及。

突然，師母問我：

「記得小黑嗎？回台南鄉下去了，你們畢業沒好久，他也走了，聽說他父親病得厲害。」她的口氣淡淡的：「還記得他要買部機車呢。」

聽說彬美在加大另有新交，一退伍，嘉克忙忙辦好手續，八月底就走了。我則真的拿起教鞭，吃粉筆灰，誤人子弟。芸康在一家貿易行做事。

週末陪芸康看電影，在中華路口，一個人喊住我。回頭一看，居然是一年多沒見的小黑，或許是一身油污的關係，看起來老了些，頭髮還是亂七八糟，髮腳倒修得乾乾淨淨。

我向他介紹芸康，他說有一回芸康來我們學校找我，他見過的。

「我現在在這家汽車修理廠做，不東跑西跑做散工了。」

「摩托車呢？」

「啊！」他咧嘴一笑，依然是那口參差的白牙，依然是昔日的小黑！

「快了。也眞不容易。去年夏天，我父親死了。家裏一切靠我，我說服母親把地租出去，等我弟弟長大，再讓他幹吧！我妹妹進大學了，中興，她要上進，做人家大哥的，只有高興的份兒……」

我們趕時間，沒能多談，我寫了住址給他，要他來玩。

他一直沒來。

大半年過去，我和芸康結了婚，生命似乎步入軌道。本來就不怎麼活躍的我，婚後變得更不想動，常常下了班回家，電視機前一坐，一晚上就過去了。芸康說我變成老夫子了，我也覺得自己愈來愈像馮老師，只差沒去買根菸斗。芸康可仍念念不忘她的高爾夫球，雖然她根本不會打。我總說，有一天我們一定會去。

六月裏，一個大清早，似醒未醒之際，遠遠聽得一輛摩托車泊泊泊駛近，戛然而止，過陣子，門鈴鬼咬一口似地吼起來。

「要死了，這麼早，有誰會來？」芸康推推我。

我揉著眼睛，走過去，打開窗簾。

樓下，馬路中央，立著穿紅襯衫的小黑，一輛晶紅的摩托車像匹小馬停在他身邊，連同院裏草坪上的露珠，映著旭陽，閃閃發亮。

我飛奔下樓，開門讓他進來。

「小黑，你終於買了！」我興奮地按住他肩膀。

他不說話，光是傻呵呵地笑。這樣的笑容，我只有在上個月，同事老黃當了爸爸時，才看過的。

我感染了他一臉煥發的笑，半天，才又說：

「眞叫人開心，不是嗎？」

好蠢的一句話。我曉得我不必再說什麼，小黑明白我眞正爲他開心。

我們一道吃早點，天南地北瞎扯，我告訴他，彬美來信說她要結婚了，不過新郎不是嘉克。馮家夫婦爲美國回來的小外孫忙得沒工夫養雞。

吃過飯，小黑說他送我到學校。一路風馳電掣，世界在車旁飛近，旋轉起來。我不安地說：「哎，慢點，小黑，慢點。」

小黑把油門開到最大，把車子駛得像匹馬，笑得像個鬼。強勁的風，將他的頭髮一根根拉直起來，拂到我臉上。

我想起幼時騎竹馬，胯下夾著一根竹子，口裏喊著「馬來了！馬來了！馬兒快跑！」跑遍一條大街的往事。慢慢地沈醉在那份由高速度所帶來的近乎窒息的快感之中。

到了學校，我舒過一口氣，要他以後常來玩。雖然我們之間的話題，一直僅限於他對摩托車的熱愛，現在他宿願已償，而我相信，我們仍舊可以聊得很好的。

小黑滿口答應，卻沒來過。

禮拜天，芸康上街，看上一隻皮包，又覺得太貴，沒買。回來唸了幾天，到星期四，忍不住了，死乞活賴地拖著我，一定要我去看那隻皮包，幫她作最後決定。

從百貨公司出來，天飄著毛毛細雨。芸康買了皮包，興致勃勃地要淋雨散步回去。

路過那家汽車修理廠，我進去找小黑。

「小黑？」一個胖敦敦的，老板模樣的中年人，衝著我皺眉頭。

「你不知道嗎？死了！都快一個月啦。這個人！我早說過，一個人迷跑車迷到這般田地，遲早會出事的。收了工，老是一個人三更半夜的偷偷開上麥克阿瑟公路……就這樣，誰知道怎麼回事，衝下山谷，躺了一夜，才被人發現……」

有個人，有個人有那麼件紅得像火的襯衫……

一九六八年秋

虹

外虹

"Is dying hard, Daddy?"
"No, I think it's pretty easy. Nick. It all depends."
——Indian Camp
by Ernest Hemingway

他沿著河堤往前走。手提袋扛在肩上，踩著一級級石階，走向堤下的船家。八月午後的大太陽直直罩下來，人影擠成一個南瓜大。

有點燥熱，汗濕了一背。不全爲了日光，要怪他那件深藍色的套頭棉布運動衫。他知道不該穿，但那團濁濁的沈藍將臉上的線條襯得更誇張，眼睛更黑亮。他喜歡得緊，就穿了，還挑一條青灰的褲子來配。褲子上，大腿處有塊五毛錢銅板大的補綻；兩年前，褲子還是嶄新時，菸灰燒了個洞。他喜歡這條褲子。因爲它有歷史。

一個胖得像冬瓜的女人迎上來。

「要船嗎？」

「一個鐘頭多少錢？」

「算你三塊好啦。今天風大，生意不好。」

「兩塊。」有一次他來划船，一小時四塊，回去讓隊友笑他傻，說這家給兩塊還嫌多了。

「我們每次都划兩塊一小時。我是營區裏的兵。」

船家老闆娘搖著一柄蒲扇，上上下下打量，覺得他不像兵。

二十一歲，剛從學校畢業，剛當了兩個月的預官。士官，充員見了都向他敬禮。起初他好不習慣，很窘。有些士官長年紀大得可以當他父親。有一回，在西門町，看到一街人，一街燈光，竟開心得吹起口哨。直到一名憲兵輕輕告訴他，不要吹了！才紅著臉記起不再是大學生，而是一個軍人！

也許是那副平頭說服了她，老闆娘亮出一口金牙，慷慷慨慨答應算他兩塊錢。

「攀個交情，」她說。

他脫下長褲，裏頭是換好的游泳褲。他打開手提袋，又脫下衣服，跟褲子、手錶一起塞進去。

三個小伙子走進茶棚，嚷著要船。

「一個鐘頭四塊錢，」老闆娘獅子開大口：「跟他一個價。」搖搖蒲扇，下巴朝他一翹。

他慌慌張張由袋底翻出海明威的《在我們的時代》，盯著柱子上「泳衣出租」四個赫紅大字，不責聲。

三個男孩子中的一個說：「四塊就四塊吧！」

胖女人堆著一臉笑，伸手向他要押金，又一疊連聲喊來一個晒得黑得像鬼的小孩，帶他去坐船。

他撈出長褲，找出二十塊押金放在桌上，拉上拉鍊，抓起手提袋和書，跟那個小孩走向碼頭。

陽光普照的碧潭，漾著一泓夏日旺季應有的生氣。劣質翡翠般的水上，穿梭著大大小小的船艇：船上花花綠綠的衣裳，閃耀發亮的肉體。風很勁，潭水被撩得粼然生波，颳來一團喧囂的歌聲。

他一腳踩進船裏，還未站穩，黑孩子用勁一推，送他滑出碼頭。他弓著身子，兩腳分立，慢慢坐下來。那孩子雙手圈住嘴巴，大聲嚷：「往上游划，下頭水急。」

逆風划船，有點吃力。但他很開心，大晌午出來玩，就爲了使點力氣，出身汗，晒黑點。自從分配到這個非野戰部隊坐辦公桌後，下了班，他就把自己關在宿舍裏看書，久久沒運動，渾身不對勁。

從吊橋下穿過，對岸巨大的岩石歷歷在目，石上刻著幾行大字：「水深危險」，「不准游泳」。而一群不大不小的男孩，便聚在那些岩上，你推我攘噗通噗通跳下水。他用勁划動船槳，一邊注視著那些沉入水中，像一顆顆西瓜盈盈浮出的頭顱，心頭漲滿了驚喜與豔羡。

划呀划，顫得起皺的水流過去，一粒粒汗珠在胸口、額上滲了出來。划呀划，一截輕快的旋律由落槳處漣漪浮現，威爾第的「善變的女人」。

小學時，第一次在音樂課學到這支歌，套了中文歌詞的「夏天裏過海洋」，喜歡得要命。上學、放學，一路一個勁兒唱呀哼的。回到家，站在比他高，祖母陪嫁的老風琴前，用一隻手指，一個音一個音彈出這個曲調，也聽不出風琴已經舊得走了音，興奮得好似已成了大音樂家。

長大後，買了整套「弄臣」的唱片。乍聽之下，立刻被那份義大利歌劇的雄渾豪邁感動得無法自己。倒是聽到「善變的女人」時一無感覺，還嫌它浮躁俗氣，常常提起唱針，故意跳過那一截。

而此刻，亮晶晶的陽光水光裏，那首歌又回來了。這是音樂和書本，以及一切形式藝術的好處。你可以不管它們是什麼，表現什麼，只要你認眞愛過，在適當的時機，它們就會十分奇妙地、精靈般地幽然出現；老朋友樣地叩訪你，陪伴你，使你在孤獨的生命中，不感到那麼孤單。也只有這群精靈才眞眞正正完完全全屬於你。其他的東西都是假的。

他自得地沉醉在這份美好的想法，手停止了動作。直至發現船已被水推著隨波逐流，才悚然驚醒，賣力划起槳。可是，另一個精靈又跳了出來……

這個人，他並不十分熟識。只像在人群滾滾的街頭，匆匆忙忙打過照面。但見過一面，就忘不了。方方的臉，方方的額，額上深深的皺紋，方方的下巴，滿腮蒼蒼白鬚——呵，海明威老爸爸！

錯了！只是海明威筆下的一個人——他老是分不清海明威的那群主角，全長的一個樣子；海明威的樣子——天哪，他到底叫什麼鬼名字來？那個老頭子。

倒霉的老傢伙。八十四天一條魚也沒釣著。好容易碰上一隻碩大無比的馬林魚，鬥了兩天兩夜，卻只拖回一副骨頭。這是海明威筆下的人生：一無所獲。

碰！心不在焉的結果是碰上人家的船。

「對不起！」他說。

那條船上的兩個人全瞪著他。一男一女，姐弟吧，女孩子短髮覆額，風把頭髮吹亂了，見他抬頭說對不起，還盯著她，臉微微一紅，垂下眼皮。

他再說一次對不起，輕輕推開那艘小船，往上游划去。

這樣小小的交通事故，在碧潭是屢見不鮮的。上個月，有個黃昏，也和同事一道來，半小時內，兩次撞到同一隻船。船上是對情人模樣的男女。第二回，差點把人家撞翻了，女孩子驚呼一聲，幾乎掉下水，雖未掉下去，紅裙子可濺濕半截。

過了兩天，他在明星遇到兩個朋友，他們在等個女孩。女孩來了，竟是那個長頭髮；像小說裏的情節。一等介紹過後，他迫不及待地問：

「我們見過吧?」

「也許。」

也許!女孩子總是也許,卻永遠記不起在那兒見過。他道出碧潭的意外。話未說清,那兩個朋友興奮得好似抓到走私的警察,異口同聲地問:「跟誰一道去的?」

死了!他心一沉,暗暗叫苦。初認識就當了惡人,抖出人家的秘密。沒兩秒鐘,又開心起來,開心得彷彿撿到五十塊;決定拿這件事當他正要寫的小說的頭。

寫得好不好,他不管。重要的是,他已經知道要怎麼寫。不,也許還不明白,也不萬分清楚要寫什麼,有一點倒是知道得清清楚楚:他要寫。那就夠了。老天才曉得他會寫出什麼鬼來,海明威也不是生下來就會寫「老人與海」。

天啊,「老人與海」那個糟老頭叫什麼來的?聖——聖提亞哥。對了,聖提亞哥!

聖提亞哥,可憐的聖提亞哥,駕著一葉扁舟,駛向茫茫大海,駛向未知的命運。天呀,好大的風,好大的浪,我要划到什麼地方去呢?

我就是聖提亞哥。聖提亞哥就是我。我就是……

他像唱「夏天裏過海洋」一樣,把這兩句話在心底翻來覆去,覆來翻去地唱著,弄得自己也心煩起來了。

得啦,你有個完的沒?他命令自己不許再唱,不許再想那個倒霉的老頭。要找個陰涼的地方，抽兩根菸，看點書，休息一下。

他把船划進一個小峽谷，船尾巧妙地滑入兩塊巨岩間狹窄的隙縫。潭水潮來潮去，船依舊盪在原來的地方。兩旁石上爬著濕濕的青苔。

上回，他看到一對情侶在這地方待了好半天，便立意再來時，一定要據爲已有。現在，坐在船上，抽著菸，覺得十分滿足，覺得這是他的地方，只差沒在峽口釘個牌子：「私人產業不得擅入」。

拿起被太陽熨得發燙的書。他一個字一個字地讀下去。《In Our Time》他認爲這是海明威最好的一本書，他所有的話都在此說盡：以後的作品不過是這些話的延伸和詮釋。他特別喜歡第一個故事「印第安營」，特別因爲他正在船上，聞得潭水潮濕腐朽的味道。

小男孩尼克跟他爸爸，一個醫生，坐著船，渡過晨霧瀰漫的湖，到對岸印第安營，替一個難產的婦人接生。沒有麻藥，醫生用一柄水手刀剖開女人的肚子，把嬰孩拿出來，女人驚天動地哀號，卻又活過來了。手術完了，醫生發現她受傷而躺在上舖的丈夫已經死了：他用剃刀割斷自己脖子，幾乎把頭切下來了。

「爹，他幹嘛自殺？」

「尼克，我不知道。我猜他受不了了。」

批評家認爲尼克就是童年時代的海明威，而他在這個短篇中，已預言了他自己未來的悲劇。聖提亞哥死抓住魚索不放，海明威卻用一把獵槍打碎了自己的頭。「我猜他受不了，」有個批評家這樣揣測。

撲通！

他抬頭朝外望，峽口水面一片泡沫，慢慢冒起一個小小的光頭，游近岩岸，爬起來，是個穿紅泳褲的男孩，十三四歲吧，滿臉滿身的水珠。他看得見小孩臉上似笑非笑的神情，又見他艱難地爬上岩石頂端，剛站穩，又縱身躍入水中。

惶然的不安抓著他。眞怕那小男孩一去不復返。一份神聖之感罩住他，他覺得有責任保護這個孩子。他是他的守護神，躲在暗處，必要時，立刻出來拯救他。如果小男孩活生生溺死在他眼前，「我會受不了！」他想。

死是什麼滋味呢？海明威死過一百次，當然明白死是什麼滋味。「我拚命呼吸，可是已沒法子呼吸，我的靈魂出了竅，像一條手帕從口袋裏抽出來，向外飄，向外飄……飄著，飄著，可不是向前飄，又溜了回來。我一呼吸。我果然又活過來了。」——是海明威說的嗎？管他誰說的，死大約就是這麼回事吧！

他覺得死是一種happy ending，在小說及眞實生活中。人生下來，並不是自己選擇的，可沒跟誰訂過合同，死不死是自己的事，問題是你拋得開不。他準備隨時死去。把心一横，大不了一死，有許多事便可以不去計較，不那麼患得患失：拋去一些不必要的束縛，可以活得如意自在點。

噗通！

小孩又跳下去了。他怔怔望他，發覺自己只是白操心。小孩游得好好的，入了水便浮起來，爬上岸，再往下跳，反覆再三，彷彿只爲了向自己證明什麼。

他把注意力移回書上。

「死，難嗎？爹。」

「不，我想挺容易的。尼克。這要看情形而定。」

驟然感到滿身的緊張，每根神經都抽得緊緊。

「死，難嗎？」

「不，我想挺容易的。」

他朗聲把這段對白唸了一遍又一遍。最後，竟被這點可怕的意念懾住了。頭好昏。太陽晒多了。他把菸搓熄，順手夾進書裏。雙腳一蹬，在陰影中躺了下來。睜眼仰望，岩上高壯的樹，鬱綠的葉子，褐黑的樹幹，拱覆著小小的峽谷。風過時，一粒粒日光，你推我擁地漏進水面。谷裏冰冰涼涼的幽寒。

「死，難嗎？」風低低地呼叫。

水波柔柔地拍著岩壁：

「不。我想挺容易的。」

風和浪一拍一合地對唱著。有一首歌叫作「夏天裏過海洋」。「船輕輕搖盪。搖搖搖，搖到外婆橋……清晨的湖上，坐在船裏，他父親划著船。他覺得他永遠不會死。……搖搖搖，搖到外婆橋……聖提亞哥就是我。我就是聖提亞哥。我就是……大路頂上的草屋裏，那老人又在熟睡了……老人又夢見那些獅子。」

一根細細的枯枝掉在臉上。他驚顫一下，慵倦而滿足的微笑在嘴角溶開。腳好麻，背有點疼，擱在船舷的手擦了一臂岩上的青苔。他張眼，坐直起來，抓住樹枝無意識地划著水。手一鬆，細枝被一陣潮來的波浪帶走。望著枯枝遠去，觸及谷外輝映麗亮的日光水光，眼睛一眨，這才眞正醒過來。

趕著退去的潮水，手撐著岩壁，用力一推，船箭似地衝出峽谷。

風更烈了。對岸扯起一張張褐黃的沙幕，列隊隱止於水面，乾燥的沙味一陣陣往鼻子鑽。驀地，一群灰鴿自頭頂掠過，疊換著陽光披瀝牠們身上的陰翳與亮光，漸飛漸高，變成一滴滴小點，像群小魚游入湛藍如海的天空——把眼光拉回時，他瞥見那個著紅泳褲的男孩，四肢分張地躺在石上晒太陽。

上游河灘有幾家茶棚。棚外淺灘上一撮撮戲水的男女，撩起高高低低的水花、笑浪。一個紮沖天辮的小女孩，坐在塑膠鵝裏，她爸爸浸在水中，露出白皙的上身，推著她走。小女孩濺了水，爆出一串驚喜、歡愉的尖笑。他看著，也爽快地笑了。心神一分，刷——船立刻倒退數尺。他趕忙賣力划槳，將船推向前去。

向前衝！向前衝！他對自己嚷。要直溯上游。那是一個夢，每次都半途而廢，今天不知那來的勁兒，他決心划到碧潭的源頭，不到不能再划上去的地步不許回去！

彷彿聽到了他的誓言。烈陽即刻擂著千鑼萬鼓，鏗鏗鏘鏘劈打下來，炙焚著他赤露的身子。汗水由額角滴向脖子，流經胸膛匯聚胸窩，或沿著背脊直闖腰際；游泳褲緣黏答答的一圈汗濕……茶棚落在背後了，水愈來愈急，在船頭激湍著白沫，打著漩渦繞過船尾，浩浩蕩蕩闖流下去。一串水花，附著飛起的船櫓，潑濺上身，心底悚過冷冽的寒意……水，湯湯滾滾淹漫過來……

他，穩著槳，努力不讓滔滔急流沖向下游，沖向岸邊；端端直往青潭與碧潭匯流處蠕去。溪水在布滿巨石的急灘上沸騰著。

我是聖提亞哥。聖提亞哥就是我。我是聖提亞哥……波濤將船推擠得好像喝醉了酒，儘在急流中打轉。他目不轉睛，揮著汗水洗得油亮的雙臂，穩紮穩打地打一場仗——聖提亞哥遇上了他的馬林魚——「魚喲，」老人輕輕地說，接著又大聲說，「我要和你拼到底。」

小船在石塊與浪花間東閃西躲，喀咚一聲，陷進幾塊巨岩中，跟著滔滔不絕的流水起伏漲落。駛不上去了。他吁了一口氣，像抵達終點的賽車選手，疲憊而滿意地靠在椅背上。他打開手提袋，點了一根菸，猛吸兩口，吐出來，煙凍在寒凝凝的水氣裏，好一會兒才淡去。

青潭的水，不動聲色，整幅整匹地隱伏過來，到了轉流處，像參加跳欄比賽，爭先恐後轟轟隆隆地躍過雜錯的礁石，翻出一道道白練。他望住那片緩緩滑行而來的水，覺得整個天地跟著旋轉，遠山也隨著移動。山上，氤氤氳氳一片朦朧。下雨吧？他想。該回去啦，今天夠了，像騎馬的人對他的座騎說。

扔掉才吸幾口的菸，用槳抵著石塊，把船挖出那個陷阱。水，馬上曳著船直瀉千里。他微縮起身子，讓它浩浩蕩蕩地流浪下去。船被沖到岸邊，眼見撞上巖壁了，卻輕巧地一溜而過；直到茶棚處，水勢漸緩，才飄飄地穩下來。

風把汗水舐乾，吹開了毛孔，直往身內鑽。會著涼的，他想；卻又挺起胸，迎接更豐盛的風。陽光在水面，在游泳的人們身軀爍著燦爛的光芒。他端坐船中，猶豫一會兒，決定游一下子再回去。

他把船拖上灘。彎彎腰，蹦兩下，算是預備運動。然後，小心翼翼走進水裏。水是暖的，走了十來步，卻變得冰樣刺人。踩不到潭底了，他深深吸口氣，埋入水中，以自由式朝前游去……

好短的旅程，他覺得沒兩三下就到對岸了。攀著濕溜溜的岩塊，他爬出水，坐在岩岸上歇口氣。他很高興，兩年沒游泳，居然寶刀未老。

明明陽光普照，雨卻突然啪噠啪噠掃下來。對岸淺灘上的人們，紛紛逃進茶棚躲雨。他不在乎。雨粒打在肩上，好過癮。

雨勢轉弱，濛濛絲絲地籠著潭水，霧般地輕飄，陽光便游在一條條的隙縫裏。躲雨的遊客又三三兩兩走到灘上。想起被雨打濕的包包，他準備游回去。

一隻腳剛踩進水。一個人朝他游來：半個頭、一隻手浮在水面。他把腳撈回來，心想等那個人游過了再走。

手漂近了岸邊，那個頭陡然冒出水，臉上絞著痛苦的痙攣。他認爲是自己的錯覺，可是，腦子裏卻似有一條琴絃「叮」的一聲綳斷了。他怔了兩秒，腳又落進水裏。那張臉又露出來，手在潭面急遽地晃顫幾下，顫出幾波浪花，頭髮漂動著，而後靜靜沒入黑沉沉的水。

天！他反射地蹲踞下去，探出上身，伸手抓住那隻往下沉的手。好冰涼、好有力的一隻手！硬生生地拖著他。他不得不再挪出左手。那個人的另一隻手立刻纏上來。整個人直要往水裏掉，腳下的岩塊又十分滑溜，他跌坐下來。心底打著鼓，咬緊牙，皺緊眉頭，全身的力氣擠到雙手，努力不使自己掉下去，也不使那個人掉下去——一用勁，他把那人拔出來！

是個跟他一般大小的男孩子，一身結實的肌肉，長髮纏到雙眼，眼中擠滿了惶恐的空茫。他攬手抱住那人，站起來，也撐著那人立直，讓他坐在一塊突出的石頭上。

那個孩子睜圓了眼睛，粗拉拉地悸喘，混身縮成一團，狂風中的小樹那樣戰慄著。也許該有條乾燥的大毛巾給他。他有點不知所措，而驚訝又蓋過了慌張。驚訝自己竟救了一個人──這麼容易就挽回一條生命！

半晌，那個人恢復了一點氣色。兀仍烏紫的嘴唇，掙扎著抖了幾下，對他說：「謝謝你！」打個寒顫：「謝謝！」

他伸出手，要他別說話。不知怎麼搞的，忽然冒出一肚子氣，氣他不該如此糟蹋生命。

「你不該一個人游泳！下次再也別──你知道，碧潭……」

話未說完，想起自己也不過只是五十步笑百步，閉了口。

「不，」那個人一手護住胸口，一手掠了掠水草一樣的濕髮說：「我跟朋友一道來的。他們在船上──哪，你看，他們來了！」

小船上的兩個男孩全然不知曉在過去五分鐘內發生了什麼事，笑嘻嘻地把他們的友伴攙上船，搖櫓而去。

「謝謝！」那個大難不死的男孩掠著頭髮，說：「謝謝！」船行遠了，還頻頻回頭望他。

恍然由一個荒謬的白日夢醒來，他發現雨早止了，百無聊賴地踢踢岩窪裏的水。猛一回頭：上游的蒼茫中，鬱紫的山頭顫顫搭著一道光彩奪目的七色虹。但，心中了無感覺，一片空白。瞇眼怔望半天，日光曬乾身上的水珠，皮膚逐漸發燙；有點累，他閉上眼，呆了一會兒，甩甩頭，跳進水中，游回去。

船來船去，人聲喧嘩。潭面好擠，好熱鬧。他小心翼翼閃過那些舟舟艇艇，慢慢地、慢慢地泅過去，專心一意、規規矩矩地游；彷彿旁邊有個教練在監視他，看他游得對不對……一、二、三、四。雙腳踢蹬出去，手伸直，向外分撥，抬頭，吸氣，腳蹬出去……一、二、三、四，一、二、三、四……

快到了。他可以看到岸上幾個女孩在玩球，淺灘上歇了一條小舟，船頭猩紅一個「8」字，上邊坐著一個蒼白的男人，雙手抱在胸前。潛入水裏，再抬頭，他看到那個人手指上戴了一個戒指，好瘦的男人。到了，他對自己說，再游七六下就到。一、二、三、四……

一、二、三、四。到了。就快到岸。一、二——可是，可是！突然！突突然然，他覺得沒力氣。突突然然，他往下沉。手動著，腳踢著，中規中矩地游著，卻不再前進，只往下沉。奮力撥打乍然變成半凝體似的水，他掙出水面。只有一秒。一秒後，又沉下去……

心「咚！」的一跳——不許慌！他命令自己不許亂了方寸。你已經到了，游啊——可是，全身力氣在一刹間被水吸光了。游啊！可是，身子在往下沉……腳踢手撥，他把頭伸出水。然後，又沉了。他拼盡全力，使自己再浮起來，對著那個人招手。然後，又掉下去……。頭再一次冒出水面，他招手，他喊，以爲一百里外都該聽到他的嘶吼；事實上，一滴聲音也沒漏出來。在烈日下，八號船上的那個人皮膚白得像一張衛生紙，只是定定望著他，望著他在白沫中掙扎滾動，睫毛也沒顫一下。

救我！他在心裏嚷。救我救我救我救我救我，他在心底喃喃喊著，全身的力氣在那一剎間被水吸光了。救我！他絕望地喊，絕望地揮手。有一世紀那麼久。然後，又往下沉。水將縫浸他眼睛時，他看到綠汪汪的水曲曲折折抖顫著，整個白色的河灘，整個藍天，天上的炎陽，一擺一擺地上下漲落晃動……救我！他無助地呼叫……有一回，他走在十字路口，沒注意到紅綠燈換了顏色，車群殺將過來，一萬個喇叭對他吠。他不慌不懼，卻看到一輛轎車裏，一個小男孩睜著無邪的眼睛盯著他──腳生了根，一陣反胃，整個人軟將下來──他混身軟下來，像一塊吸飽了水的布，徐徐往下落……

睜得大大的雙眼望著一粒粒泡泡往上冒。一股莫名的力量拖著他向下沉，最後一口氣也呼出去了。他死死地閉住嘴巴，水開始由鼻孔滲入。完了！他對自己說，完了！

完了！對自己說，完了！一切突然不再可怕。他放鬆身子，翡翠綠的水微笑地擁住他。一切突然不再可怕。黑幽幽的水溫柔溫柔地接住他。他分不清是水擁抱他，抑或他擁抱著水。他分不清自己和水……

忽然，他像一根羽毛似地浮起來。有隻手抓住他頭髮。另一隻手撐托著他左腋。他像一根羽毛似地飄起來……腳丫子觸及潭底的細砂時，他知道自己活過來了。

兩個人拖著他往前走。他想站起來自己走，腳卻軟綿綿的不聽使喚。兩個人拖著他往前走。

烘！一股熱氣迎罩過來，他感覺到灘上燙辣辣的砂，聞到焙炒得好焦好脆的砂味。整個人乍然癱瘓下去，在熱鍋般的灘上躺下。他知道自己又活過來了！

好熱！整個人被太陽吞噬了。隔著眼皮，彷彿一千個照明燈炙在眼上。火徐徐烤著他。除了火，僅有熾烈而模糊的嗡嗡聲將他團團圍住。

「你喝了多少水？」一個聲音嗡嗡的。

他說沒有，一口也沒有。只有他自己聽得見。

兩隻大手在他腹部、胸口用勁地揉。他努力搖頭，水淋淋的髮在砂上搓著，一粒粒砂子沾進耳朵，石頭似的，最後，他放棄了，一動不動，任人擺佈。

一團聲音切切錯錯地蕩著，忽遠忽近。

「好險！要不是對岸那幾個人在叫，再遲幾秒鐘就沒救了。」

「快讓他動動。」

「不，讓他休息一下。」

「眞作孽，這個禮拜來第十四回了吧。」

「看，他的臉白得好怕人，嘴唇都發紫了。」

「還有沒有救？快做人工呼吸！」

聲音絞成一片，營營營營褪淡了——風平浪靜時的潮水，懶懶的，有一搭沒一搭地輕舐沙岸——逐漸凝成一張薄膜，將整個世界包起來。

他的雙手被提起來，被拉到砂地上。再提起來，放回腿邊。再提起，再放下。提起，放下。單單調調地重複。身上沈甸甸地壓著千斤沙包。手被提起，被放下。他忽然覺得那不是他的手，而是兩隻鐘擺，毫無意義地在空間擺晃，晃近，晃遠……

晃近，晃遠……遙遙的……千山萬水……千山萬水外……一輛汽車在公路上撳著驚天動地的喇叭，一聲聲鎚打著那層薄膜……驀地，一聲尖銳童音刺破薄膜：「媽咪，媽咪，這個人死了是不是？」

猛吸口氣。睜開眼睛。一個人伏在他身上，一張削瘦的黑臉，濕漉漉的水直由頭髮往下流，見他張眼，放開他的手，氣喘喘地問：「你喝了多少水？」

忘了如何說話似，他張口結舌地震住了。混身虛軟，胸口漲得難受，肚子卻空空的，半天才回答：「我沒喝什麼水。」

「怎麼可能呢？一口也沒喝？」黑臉奇怪地說，衝著站在一邊另一個年輕人說。那人光著腳，身上藍長褲、黃襯衫，整整齊齊，只是都滴著水。

「走一走！」兩人拖著、攙著他立起來：「不走不行的！」

他掙扎著站起。眼前的人頭，人頭後扎眼的水，對岸灰褐的岩塊，綠樹，整個天地一晃一晃，像從船上看過去一樣，晃著晃著，又穩住了。他知道自己還活著。

「謝謝！」他說。

「走一走！動一動！」那個人說。

「走開！走開！沒啥好看的！又不是死了人！」一個禿頭的胖子揮著手，大聲吆喝，看熱鬧的人們讓出一條路來。

走一走，一步一步地走，挨挨蹭蹭，一步一份艱難。熱氣由腳底往上揉，心底深處的涼意，緩緩地散發出來，一陣風撲來，背上一片冰涼，他顫一下，抖起來。

「冷嗎？」黑臉問。

他不作聲。

他們讓他平躺下來，黑臉咬著牙，拼命在他胸腹搓揉，胖子也蹲下，推揉著他的腿，黃襯衫揉著他的兩頰。難受得一塌糊塗，比水淹了還難過。一股火慢慢在心裏旺起來。他虛虛地躺著，虛虛地想是不是在做夢。

「好一點沒有？」黑臉問。

他點點頭。

「那麼起來走走，不能老躺著。」

黃襯衫說他也發冷了，要換身乾衣服才行。

「謝謝！」他怔怔地說。

「你去吧！」胖子說。說著，與黑臉將他架起來，一左一右讓他搭著胳膊朝前走。一路人們指指點點，活像他是電影明星。

兩個人你一言我一語，問他什麼地方來的？幹什麼的？一個人來？怎麼會爬不起來？像遇到了警察的迷路孩子，他一五一十答得好仔細。

說到他剛剛也拉了一個起來。胖子與黑臉一起停步不動，然後說：「難怪！」黑臉一本正經地說：「你不該救他的！」

儘管虛弱得直想躺下來，他忍不住笑了。

看他會笑了。胖子問他是否好些了。

「讓我自己走走看！」他說。

他走。走了幾步，停下來。忽然有個衝動，想哭一場。我居然還會走！他木木地想：我還活著！

茶棚走出一個梳包頭的女人，給他們一人一杯茶。

他端過茶，湊著嘴就喝。女人說：「小心！燙著呢！」燙得厲害，他一口氣喝乾，混身舒暢，喘著向她道謝。「是不是再來一杯？」他一揚臉，笑著說好。笑，僵著——你怎麼還會笑？你怎麼還能笑？

黑臉蹲著喝了半杯茶，把剩下的半杯潑在灘上，站起來，帶點安慰的笑，拍拍他肩膀：「沒事了吧？下回小心點就是。」

像個乖得不得了的小孩，他只會點頭，翻去覆來，只會一句話：「謝謝你！謝謝！」

黑臉去遠了。他突然記起自己連人家的名字都不知道——怎麼可以這樣呢？

望著黑臉的背影，女人再遞給他一杯茶，說：「這孩子救過不少人。連你在內大概有一打吧。我們開茶棚看多了。救人最險不過，弄個不好，連自己一條命都賠上去……」

胖子插嘴道：「溺水的人總是拖著人不放。」

「是啊，」女人說：「所以有些人根本不敢下去救，只會張著眼看人活生生沉下去。」

他想起八號船的那個人。回過頭，他還在那兒，陽光把他的背映得死白，一動不動，像尊沒有生命的石膏像。奇怪，他並不恨這個蒼白的男人，一點也不。甚至十分感激他。是這個人給了他一個堅持、掙扎的目標，否則他早下去了；明天社會版會有一條短短的消息，碧潭又淹死人。

胖子喝完茶，把杯子交給女人，對他說：「我們再走動走動，你不能老坐著，這樣不好。來！」

他們慢慢地走，慢慢跑動起來。跑著，跑著，雙膝一軟，他又癱坐下去。陽光兀仍耀眼，沙灘綿延。沙岸盡頭就是青潭的急灘，在那兒我抽過幾口菸，剛剛，約莫一小時前——

抓著頭髮，跪在砂上，他沉思許久，依舊無法完全令自己信服這件事實……也許，他最後跟自己妥協，那是一千年前的事——一千年前，有這汪潭水嗎？潭的對岸是青山，山的後面是什麼呢？那邊一定還有許多山、許多水，許多許多我不認識的陌生；沒有寫過，沒有讀過，沒有聽過的未知……胸腔裏翻滾著難言的激動。他跪在砂上，陽光燃亮了他的髮梢。

胖子過來，和他並坐，東南西北的聊。他們都不知道他爲什麼會沉下去。抽筋？他這輩子從未嚐過抽筋的滋味。漩渦？他說不是。那又是什麼呢？他茫然地搖頭，說也許是漩渦吧。也許。

他們坐了很久，太陽晒乾了他身上的水，又洒出一些汗。太陽逐漸萎落下去，風又把汗擦乾。像每個在水湄晒多了日光的人，他疲倦地坐著，無聊地剝下一層層附在身上、四肢的砂……該走了。

胖子幫他把船推下水。

「有力氣一個人划回去嗎？」

他坐在船上，握著槳，眺著染得血紅汪汪，似乎永無盡頭的水，淡淡一笑。「我試試看。」

「我應該送你過去。可是我不會划船。」

「謝謝！那你怎麼過來的？」

「游過來啊。」

他扭過頭，望住掛了一身斜陽的胖子，驚得嘴巴半張，好像聽到人不坐飛機就飛上天那般詫異——怎麼可能呢？怎麼可以游過來又游回去呢？

胖子用力一推，船漂漂地盪到潭心。他抬抬手說謝謝，說再見。心裏依然納悶著。

他划了幾下，好不對勁，混身裏外沒一絲力氣，便收起槳，任水推著船向下流。手不動，腦袋瓜子又做起工來；煙霧裊繞，理不出一點頭緒。日暮時分潭面的水氣向上騰昇，他下意識地縮起身軀，抗拒由水裏蠕出的那份莫以名狀的恐懼……

船至下游，近吊橋處，一艘大船迎面駛來。一船衣著鮮明的男女，一船歌聲。聽到洪亮的歌，那團冷氣霍然散去，彷彿在三伏天脫棄一身厚衣。可是，再仔細傾聽，他被震住了。也許是教會裏的人吧，他們引吭高唱韓德爾的彌賽亞：

『哈——里，路亞，哈——里、路亞，哈里路亞，哈里路亞，哈——里——路——亞……』

他直覺地認爲，他們是爲他而唱。屏住氣，一動不動，聆著他們高高低低、起起伏伏地反覆那一句「哈里路亞！」，體內一股生命的泉水，波波濤濤地洶湧起來。他放鬆自己，吁口氣，幾小時貯積的惶恐與感激，一刹間化成滿眼淚水，幾乎奪眶而出。

『哈里、路亞，哈里、路、亞，哈——里——路——亞……』

大船飛快擦身而過，往上游溯去。他轉過身，貪婪地追尋俯拾每一瓣飄落水面的歌聲。船去遠了，歌聲縷縷，宛如船過後的水波，抖著、顫著……

船影模糊了，他抬抬眼：遠山上的那道彩虹兀仍一清二楚地浮跨在蒼茫的暮色裏；虹外不知何時，又加添了一道不十分完整，卻也七彩分明的新虹。

淚水漶漫了眼前的一切，他愣坐著，一點也摸不清心底深處絞亂得近於空白的感受。船，悠悠晃晃地漂過吊橋拋下的陰影。

撲通！

一個小男孩自橋上跳下。另一個接著躍下，濺了他一身水。橋上一群孩子嘩嘩爆出一團高笑。他的心陡地提到喉嚨。小孩浮上來，一個，又一個。他很想過去，抓住他們，問他們：沒看到岩上那些「水深危險」「禁止游泳」的大字嗎？

但，有些事，他知道，有好多好多事，人們一點也聽不進去，除非自己死過一次……他揚揚頭，拾起槳，朝那輪柿紅的夕陽划去。

到了碼頭。下午送他出來的黑孩子，扯住船繩，見他呆坐不動，嘻皮笑臉衝著他叫：「到啦！先生！」

——他怎麼可以這麼對我嚷？他木然地抓起包包，套上鞋子，跨上碼頭；木然地想，他怎麼可以這樣嚷？我可是剛由另一個世界回來，剛剛死過一回！

「三十九號回來啦！」黑孩子又拉直喉嚨往船家茶棚喊。

他走進茶棚。打開手提袋，踢掉鞋子，機械地穿上長褲；反正游泳褲已經乾得差不多。機械地套上襯衫。扣上皮帶。再把皮帶鬆開，把襯衫下襬塞進褲裏，還把擠在小腹上的下襬拉平，扯到腰邊；像平日一樣——他禁不住對自己發起火來——你怎麼能？怎麼可以這樣？怎麼連這種瑣事也沒忘掉？彷彿什麼事發生也沒過！

「找你錢，哪，十二塊！」船家老闆娘在他面前揚著鈔票，他視若無睹，也不曉得馬上接過……

拖著包包，拖著細條條的影子，走上堤防。天邊凝著紅的晚霞。下游蛇籠上幾個婦人蹲著洗衣。蛇籠邊沖著白沫的水裏，有人在游泳、划船。穿著短褲的小孩三五成群，跑上跑下，尖叫高笑。一輛喜車飛馳而過，丟下的爆竹劈哩啪啦地蹦跳，一地煙霧火花，小孩蜂湧而上，拾取沒爆炸的鞭炮。衝著刺鼻的硝煙味，他走下堤防。倦遊的遊客潮水似地流向公路局車站。計程車司機大呼小叫地兜生意。攤販搖著鈴鐺吆喝著要人喝冰水、吃西瓜。路旁的樹挺得筆直，染了落暉的綠葉，伴著揚起的叮叮鈴聲，在夏日黃昏，略帶腐味的薰風中，懶懶搖顫——整個世界沒有一絲絲變動，即使他現在躺在冰冷黑暗的水底，地球依然旋轉自如，人們依然毫無困難地呼吸——一剎間，他把滿肚子憤怒轉移給每一個映進眼簾的人，每一滴流進耳朵的聲音。

——他們怎麼可以這樣？怎麼可以這樣若無其事？他想衝過去，站在馬路中央，對每個人喊，他剛由鬼門關打個轉回來！那又怎麼樣？人家只會拿你當個神經病！即使他眞的死了，這些人不一定會聽到，聽到了也不會爲他落淚。正因爲他清楚這一點，他的憤恨變本加厲地濃了一百倍。他更知道，這份忿怒是無意義、沒有人能夠分擔的，因而強烈焚心的感覺，立刻化爲一種無助的孤獨的驚惶，像找不到出口的河水往回灌，將他懾住了。

醒醒！他對自己說，你還活著……夾在人群裏，他進了車站，排隊買票，排了半天，才記起自己不必買票，他有一張月票。他退出來，又接上候車長龍。醒醒！他對自己說，醒醒！車站裏，嗡嗡著破銅爛鐵空匡落地的喧噪，人群中散發著人味、汗味、煙味、屎味的骯髒，車站的一椅一柱他都看熟了，此刻卻覺得十分陌生；眼前滾來滾去的人頭，倒似好生熟悉，仔細看看，他一個也不認識……

候過了三輛車，終於，他也要上車了。立在車門口，卻找不到月票，車掌小姐板著臉：

「快點！到底上不上？」

吃她一喊，票跑出來了，心裏那股憤忿也活過來——她怎麼可以這樣吼？她難道不知道我……車上每個人都面無表情，一張張紙糊的面具似的。他抿緊嘴，臉色倏然變得石灰般的蒼白。他定住，匆匆忙忙，打開手提袋，找出香菸，點上，一口接一口地抽，彷彿稍微停頓一下，生命會立時由他身上逃開……

過了該下的站，他沒下。坐在窗口，風大把大把襲上面頰，煙剛由嘴巴、鼻孔冒出，即刻隱得無影無蹤。吸完一根接一根，搓熄的菸蒂，不管三七二十一地往外扔。

連抽三根，人才活過一些。車在亮了紅燈的十字路口停下。他戀戀地望著滿街晃亮的燈火，水流似淌過去的車群，忽然有一種回到家的感覺。下得只剩半車的乘客，騷動起來。後排幾個花襯衫旁若無人地談笑著。前面一個老人不住在擤鼻涕、咳嗽。兩個小女孩站在走道中間，拉拉扯扯推擠著。一個鄉婦懷裏的嬰兒啼哭起來，做母親的立刻解開上衣，將乳頭塞進嬰兒的嘴巴。他看得出神，不自覺地笑了。他覺得他是他們的一份子，一起呼吸著，活著。整個午後不過是一場白日夢。

重慶南路口，大部份的人下車，他從行李架抓下包包，也跟著下來。一腳踩在馬路上，感覺到鞋底的細沙，沒乾得徹底的泳褲的濕涼，他又不得不承認那不是個夢！觸及水底的一刻永恆，他又慌了，抬眼望見「明星西點麵包咖啡」冷清的霓虹，連忙躲逃進去，直上三樓。

三樓闃無人影，昏黃的燈光，籠著一室寂然。正猶豫著是否坐下來，侍者來了。接過價目表，不待研究，也一口氣點了一盤火腿蛋炒飯、一客豬排、兩塊蛋糕。餓得可以吞下一幢樓。剛出水時混身虛軟，空心空肚的餓法——他渴望再喝一杯熱茶——他要了一杯。

今天下午——今天下午？——今天下午！在熱得薰人的沙灘上，他喝了一杯茶，差點把舌頭燙斷，但他還要一杯。沒有錢付茶資，他說他改天送去。那梳包頭的婦人笑出一臉皺紋，說她不會收他的錢。

「兩杯茶沒什麼。不過，」她正色地說：「你一定要買些冥紙鞭炮來燒一燒。不然對救你的人不大好……這裏死人太多了！」

他明白她的意思。他一向憎恨迷信。然而，他要去，還要送些禮物給黑臉跟黃襯衫——但是，一條命値多少錢？

他掙扎著避開這個想頭。而那一盞盞壁燈卻半睜著眼，不懷好意地打量他。他閉上眼。眼前陡地浮出漩盪舞繞的黑水——好大的太陽！好冰的水！血紅的大太陽燒在墨綠的水裏，上下浮躍，水由四方八面湧過來……

東西來了，他狼呑虎嚥地吃光喝光，活像再不快點吃，就沒得吃了。吃飽喝飽，不餓不寒，一下午拉得緊緊的神經倏然解除了武裝。他推開掃得乾乾淨淨的碟子，燃起一支菸，慢條斯理地抽。那份怵心的餘悸在煙霧中融失，代之而起的是平日如影隨身的落寞和無聊。

他按熄菸，打開手提袋，拿出書來。

封面上，海明威吹著一口白鬚，天不怕地不怕地笑著。不知怎地，很不受用。叭噠打開書，一根菸蒂滾了出來，直滾到桌角，猶豫一秒鐘，縱身跳下地板。

他把眼光移回書本，首先躍進眼簾的，正是「印第安營」結尾處，被煙灰沾得污跡斑斑的兩行對白：

"Is dying hard, Daddy?"

"No, I think it's pretty easy. Nick it all depends."

一九六九年一月

逝者

週末午後的公共汽車總是滿的，何況下著雨。

整車人，肩挨肩，腳踩腳，剩下的一點點空隙又黏滿了濃得化不開的溫熱潮味。嵌在上車處，喆生寸步難移，朝裏的面頰蒸得發燙，貼著窗的那面凍得冰涼。

雨絲密密劈射在玻璃上……望著望著，眼眶濕濡起來，淚，一顆顆，流到玻璃，滴到風衣發毛的領子。對面一個長髮女孩，睜圓大眼，驚得嘴巴半咧。

不要哭了！不要哭了！他咬著牙，閉上眼，而淚水依然由睫毛滲出，鼻子又不爭氣地猛吸一下。喆生睜眼，淚珠沿著鼻緣淌下。他覺得幾十隻眼瞪著他，想抹去淚痕，但左腋下夾著一把濕傘，右手又被壓得抬不起。他昂頭，衝著車掌嚷道：「下車！下車！」

車子到了一站。喆生左右開弓，手撥肘攘地掙衝下車。滿腹波濤突然找到了缺口，洶洶湧湧傾洩而出。他快步急奔，失聲地哭了。

跑了一段，一口氣喘不過來，喆生放慢步子。到大姨家還有五站路，他要走著去，慢慢走。沒張傘，身子早已濕透。雨勢轉弱，濛濛地拂著臉，和中午下班時一樣……

下班回家，門口停著三部轎車。立在雨中按了四次鈴，才有人應門。一肚子火正要發作，妹妹開了門，劈頭就說：

「大表哥死了！」

「哦，」他跨進門。

「大表哥死了！」

他凝視著院裏遭雨打落的杜鵑花，說：「哦。」

妹妹關上門。

「媽呢？」

「在請客呢，一屋子全是客人。爸爸去臺中還沒回來。」

「哦。」

餐廳大圓桌坐得滿滿，都是父親的朋友。見喆生進來，挪出一席給他。母親爲他添副碗筷，轉過身，笑逐顏開地勸客夾菜。

「吃菜吃菜！」母親笑得和杯裏的葡萄酒一樣甜：「我們張媽的豆瓣魚是最拿手的？」是的，吃菜吃菜。一桌菜，一桌笑。母親吩咐他敬酒。是的，敬酒。王公公，唐伯伯，潘伯伯，吳伯伯……還有呢？喆生站著，高舉酒杯，僵住了。母親望他，他望母親。母親眨了一下眼。喆生擠出一個笑，說對不起他要告退了，有個約。

「女朋友是吧？什麼時候請我們喝喜酒？」李伯伯咧開大口，酒氣沖天。

喆生紅著臉傻笑。李伯伯帶頭，哄堂大笑。笑浪衝得他腦門兒發昏——會是因爲喝了幾杯酒嗎？

約了華璇去看電影，兩點五十的。已經快兩點了。打電話想取消。講話中。接通了，她母親說吃過飯就出門。

他掛上電話，回到房間，關起門，在床緣坐下，茫茫然盯住灰牆上的一塊污斑，心中一片空白。盯久了，頭昏腦脹。酒眞的喝多了。他閉起眼，躺下來。

不知過了多久，喆生聽到母親在送客，汽車一部部開走，張媽在收拾碗筷………然後，一切突然靜寂下來。屋外，雨沙沙地刷著樹葉。一陣風，雨水嘩嘩落了。他睜張眼皮，慘白的天花板上，黑色的細木條縱橫交叉劃著一道又一道的十字——大表哥死了！

喆生叭地坐直，走過去，打開衣櫥，翻了半天，找出一件套頭灰毛衣，一條洗得泛白，醬縐的牛仔褲。脫下西裝，換上毛衣與牛仔褲。

妹妹在客廳看報，見了他的打扮，鎖起眉頭。

「上那裏？」

「大姨家，」他一面穿鞋一面說。

「媽已經去了——你就這個樣子去？」

「到底怎麼死的？」喆生穿上草綠色的風衣。

張媽捧著托盤進來，把酒杯一個個放入酒櫃。

「我也不清楚，」妹妹將報紙翻過面：「早上二姨家南表哥打電話來說的。好像是初二那天，坐人家開的車子去辦黃皮書，車子撞上大樹，他坐在前面……」

「老天爺，多可憐，三個孩子還那麼小……」張媽撩起圍裙擦眼睛：「一個人……非洲——非洲很遠吧？比美國還遠嗎？」

「我走了。」

「等一等！」張媽喊，拿了一把傘，巴巴追到門口，塞給喆生：「瞧你，也不帶傘，雨下得這麼大。」

雨又大起來了。喆生打開傘，雨水照樣濺到風衣下擺，褲管緊糊著大腿，鞋裏全是水，一步一聲噗吱。

一道寒顫沿著背脊揉上來。喆生呑了呑口水……每次到大姨家，都是跟父母坐車去，根本記不得到底幾巷幾號，希望找得到……雨珠由傘緣成串滴落。右手持傘，空著的左手，手指一曲一伸，依稀對自己喃喃述說某種神秘的言語……

路上一灘油漬，手指僵止了。喆生停步站住，活像那兒埋著一顆地雷，不敢踩下去。雨，粗泐泐敲著那汪斑燦……

從窗口望出去，那天空藍得好單調。半個月沒下雨，太陽眼都不眨一下，天就那麼不動聲色地藍著。坐在鐵皮屋頂的營房中，熱得可以烤死人。下船那天，踏上這呑了無數砲彈的戰地，喆生第一個感覺就是熱不可當。還不懂得怕砲彈，倒擔心這種熱法，一年怎麼挨過去。而一年就這樣過去了。冬天冷得刺骨，夏日熱得焚心。一年裏調了六個地方，從平房住到坑道住到碉堡住到平房，這是最後一個了。下週就要退伍。一年來，別的也許沒學好，耐性倒磨出來了。這點熱，小意思！

坐在桌前，握著濡飽墨汁的毛筆，喆生在舊報紙上，一筆一劃地寫「天地玄黃」。半個上午，就如此這般「天地玄黃」。初到連上那陣子，連長要他帶排上弟兄去排雷，喆生抵死不肯，說沒學過。連長令出如山：「要你去你就去！」今天早上，他們去修國民學校，喆生想去，連長卻說，副連長回去渡假，吳排長剛調走，李排長他們一道去，輔導長到別連協調公事，連上就數你這副排長最大了。

「你留在家裏招呼！」連長揮揮手。坐滿了人的四分之三中型吉普和一部大卡車，車篷冒著蒸汽，捲起一團沙，去遠了。喆生回到房間，掛好軍帽，呆了一陣，坐下來，磨墨，「天地玄黃」……

天，地，玄，黃——愈寫愈搭不出個像樣的架式。有點睏，他擱下筆，趴在桌上……「拍！」迷迷糊糊地，猛然聽得一陣悶聲巨響：「轟！轟轟！轟轟！」喆生一顫，坐直了，心跳得厲害。又來了？……不對，今天是雙號，不該有砲的，何況昨夜那場瘋狂的濫射，把國民學校兩間教室都炸毀了，他們還要什麼？豎耳傾聽，聲音隱了，屋外寂悄悄，惟有幾滴雀鳴斷斷續續灑落著——也許山裏有人在炸坑道吧！

他掃開報紙，伏在桌上……屋頂幾隻麻雀無精打彩地吱喳吱喳，一言不和，突然吵將起來——突然，屋外騰起一團喧噪，鬧個不休。喆生抬頭，幾個充員掉了魂似地叫嚷著。他虎地站起，衝到門外。

「你們鬼叫什麼？」

吃他一吼，幾個人倒不吭氣了。麻雀也不叫了。所有的聲息一刹間全叫日光吸走。太陽由頭頂直直罩下，喆生額角一塊墨跡映得黑亮。

「報告副排長……」

說話的是個鹿港仔周道平。上午明明見他坐在大卡車上一道去，現在看他一人滿身汗泥，呵呵喘喘跑回來，喆生心底不由陡然雷震。人一急，火又旺起來了。

「有話快說，別像娘兒們！」

「報告副排長……連長，他——出事了，連長被炸死了！還有……」

「還有什麼？」

「尤景欽也死了！」周道平張大口，孩子樣地號啕起來。

陽光眞刺人哪！——喆生絞緊眉，瞇著眼，眼下肌肉乍然抽搐不止。陽光、眞刺人哪！紅泥地吐著輕煙，營房前一排丈許梧桐，果實纍纍，綠葉低垂，裊裊發散茫茫溽氣。烈日將整個空間焙成氤氳氤氳的灰白。

展臥在烈日下，那塊屍白的灘地，僅有一棵鬱綠焦褐的木麻黃。長條條的樹蔭，隨著時辰轉移方位。上午大家把衣裳水壺丟在陰影中，過一會，休息時，水壺已被炙得燙手。

景欽拖著圓橇和長長的影子，慢慢踱過來。對坐在蔭裏的喆生咧咧嘴，蝦下身，拾起一個裹著帆布套的水壺，一手支倚圓橇，昂首傾飲。短短的平頭燃得森爍，額上汗珠晶晶。陽光將他的濃眉挺鼻襯得鷹揚，逼他半瞇了眼。水由唇角淌出，溜過頸項，直泄寬隆的胸膛，和著汗水，混身油亮。草綠長褲下，一雙黑球鞋，鞋下是灰白的黏土。白黏土單單調調伸延過去，與岸邊的浪白連成一片。岸外是海，海藍天藍，凝為一體。一絲風也沒有，隔了兩三里，不聞濤聲。而海天就那麼冷冷地藍著。

他們說，許多年前，海水直舐到木麻黃這個地方，埋了好些地雷。現在準備在這塊海埔新地上，蓋幾個碉堡，必需把地雷除清。按著佈雷圖，大部份挖了出來；只有八顆，因了潮水沙流，怎麼也找不到。

每個地方都落過砲彈，上頭全是破片。地雷探測器指針無處不跳，一點也不管用。只好海底撈針地把這塊地翻過一遍。有所發現，便大呼小叫，像挖到金剛鑽；十有九次是砲彈碎片。謝天謝地，一連挖了幾天，總算平安無事找出六顆。還有兩顆，還得挖；不是小心翼翼地挖，而是不管三七二十一地敲。天知道，沙灘怎會變成這種硬法。石匠敲石似，橇子一橇一聲卡。圓橇還好些，方橇使起來眞是事倍功半。

「呵，好過癮！」景欽撒手扔開圓撬，拿手背抹去唇上的水，額上的汗，蓋好水壺，衝著喆生說：「洗個臉去嗎？」

「好哇，」喆生一撐樹幹，跳起來。

灘上有幾個小小的窪地，盛著不知那月那日留下的雨水，白黏土襯底，白瓷浴缸的水那股清澈。喆生喜歡在洗過臉後，找幾塊泥巴把水炸得混濁濁，過陣子再去看，依然清澈如故。兩個人慢呑呑地走，地面在腳下錚然作響，撲鼻而來炒得焦脆的泥沙味。排上的弟兄，三三兩兩，站著、蹲著，聊天、休息。可沒人坐著，地燙得可以烙爛屁股。景欽走在後頭，吹著口哨：「十八姑娘一朵花」——這個人什麼都好，就是喜歡的流行歌叫人不能恭維。可是，聽多了，有時自己哼哼，居然全是景欽的歌。

景欽正把「一朵花」吹上第二遍，還加伴奏，忽然斷了，悶喊一聲：「副排！」一把摟住喆生的腰，兩人滾到地上。

「怎麼回事？」

景欽的臉異樣地扭曲，咬著一口白牙，不言不語，睜睜盯住喆生背後。喆生轉過頭，不禁倒抽一口氣——三步遠的白土上，吐著拇指長鏽黑的觸針——地雷！

回過頭來，我看你，你看我。四際人聲全死過去。景欽粗拉拉地喘。而那片海和天，在景欽的肩後，一大塊靛藍，紋風不動，那麼可怕地藍著。熚白的炎日照映，海水一折，射出一道箭似的波光，扎得他不由閉緊了眼。

喆生努力睜開眼睛。然而，盈眼仍是茫茫溽氣，青山紅土被蒸得走了樣，彷彿罩在一個薄薄的塑膠袋，袋裏灌滿了周道平異常空洞的哭聲。

「別哭了！」喆生的聲音一絲不亂：「到底怎麼發生的？」

「連──連長……我們幾個，在一間教室裏把一些瓦片和泥巴往外搬，連、連長來了，說我們怎麼這樣迷糊，也不，也不拿把橇子，」周道平涕泗縱橫，兇烈地抽噎一下。

「剛好尤景欽拖著一把橇子走過，連長叫他進去，我們出來拿橇子。剛走……走沒好遠……到了升旗臺前……我聽到啪的一響，就仆倒到地上；誰曉得那些狗仔又發砲了，一連三發……有一門就落在昨天炸得最慘的教室，連上幾個兄弟掛了彩……炮停了，大家吵成一團，李排長叫大家別慌……我說連長呢？──連長的帽子被一片碎瓦蓋住了，露出一個帽沿，泥堆裏，全是血！」

周道平頓然矮了一截，半曲腿，大開著嘴，看得到嘴裏的紅舌和黑的喉口；兩隻手，五指現張，上上下下舞躍，狂呼著。

「他們把尤景欽挖出來，人已經死了，手上還握著方橇……」

心口突地塡了一塊巨石！喆生一隻眉吊得老高，與額上墨跡湊成一團。

喆生呑呑口水，嚥下那塊粗礪的巨石。

「別哭了，再哭也沒用——劉煌，你去把連長的碉堡鎖起來。連長死了，裏頭的東西誰也不許動！你們去做自己的事！」

打了半天，電話才接到國校附近的通信組。一個台轉過一個台，干擾得厲害，混淆不清。只有一句話霹靂那般清晰：

「是的，都犧牲了，兩個人。」

老班長來叫他吃中飯，輔導長趕回來，也喊他吃飯。喆生說什麼也不去，死死守著電話等消息。兩點出頭，電話來了，說驗過屍了，連長無親無眷，直送火葬場，景欽暫時放在停屍房，等上面決定如何處理。

得到了這樣一個結果，喆生才發覺自己滿身大汗，野戰服濕得貼背發臭。走到房外透透氣，外邊比屋裏更悶更燥。幾小時內，天翻地變，太陽熄了，烏雲厚甸甸地低壓頭頂。

望著山峰的嵐氣，喆生想起早晨四分之三車篷上的蒸汽，胸中了無感觸。遙遙地，幾陣悶雷翻滾不休，愈滾愈近，叭地一響，豆大驟雨傾盆而降。

坐在碉堡外，連長焊給大家休息的鐵椅上，喆生呆若木雞，任憑雨水沖淨額上墨跡，浸得混身透濕……

雨落著。

南京東路那條公寓夾道的小巷，家家戶戶都貼著春聯和倒福，紅紙吃雨打得一塊白、一塊粉、一團黑、一團金……

大姨家顯然也貼過春聯，又撕去了，紙痕斑剝。去年珍表姐出嫁時，門口懸著炮竹，掛著喜幛。如今，猩紅的門板上，糊著一方白紙，一角沒糊牢，迎風招揚，上面兩個大字：忌中。「己」字黑亮，其餘的字跡漶漫不清；墨汁淌過白紙，朱門，滴到地上。

喆生推開虛掩的大門。簷下一株小小的萬年青，在雨中抖顫。他收起傘，擱倚牆角，沒擱好，溜到磨石子地上，就讓它躺著。

喆生拂落臉上水珠，脫下濕漉的風衣，掛在手上，推開毛玻璃門，走進客廳。廳堂中央，一座靈桌，香煙裊繞，香味直飄到廳口。兩排長沙發沿壁相對，人坐得滿滿。台中趕來的琴表姐、美表姐，新竹來的晶表姐，二姨，二姨家的欽表哥、南表哥，還有母親——幾乎就是珍表姐結婚時原班人馬。

大家交頭接耳，嗓音壓得低低，好似房裏有個病人，怕吵了他。等喆生一路噗吱噗吱走進廳堂，忽然都把聲音藏起來。

大表嫂滯重地站起，紅腫的眼睛定定望住他，嘴唇抿得緊緊，緩緩沉沉深深一個鞠躬。

喆生怔立不動，嘴角抽搐得厲害，鼻孔一張一翕，喉核上下溜動。兩人一句話也沒說，但他明白，就在那個眼光中，他們交換了千言萬語：兩個人共同擁有的唯一的記憶。

「來跟大表哥行個禮吧，」母親走近了說。

喆生將風衣放在沙發邊的小几，機械地接過母親遞給他的幾支香，拿起桌緣的火柴，擦了三根才點著。珍表姐挺著大肚子，艱難地蹲著燒紙錢，立起來，讓位置給他。

靈桌上，四色鮮果，一盆盛放的黃花報歲——過年時，父親要拿去送人，母親怎麼也不答應的那盆。桌子裏端，一缽香，煙霧模糊了缽後的牌位與白壁上那幅大照片。照片上，兩條黑緞八字披開，大表哥神態悠閒地笑著。

望著大表哥的笑，喆生的唇不住地顫——這不是真的！沒有棺材，沒有骨灰匣，沒有人披麻戴孝，沒有人大哭大號——忽然有個衝動，想摔了香往外跑——念頭閃過，他咧開嘴，無聲地啜泣起來……

喆生抱著籃球衝進餐廳，灰毛衣牛仔褲滿是泥塵，叫著開飯。張媽說有客，晚飯要遲了。他瞪了瞪眼，餓得發昏，先搜冰箱……正嚼著一塊冰硬的年糕，電話鈴響。

「屏東長途電話，」接線生說：「屏東、屏東，高雄出來了……」

一個男人宏亮的嗓門兒冒出來，機關槍掃射，哇啦哇啦講了一大堆。等他剛弄清楚怎麼回事，電話噹地掛斷了。

三口兩口吞下年糕，兩眼發直，怎麼也不信那個人的話，愣了兩分鐘，幾乎是反射地，提起話筒，撥一〇八。

「喂？長途台嗎？請接屏東，省立屏東醫院。」

擱下話筒，坐在桌緣，喆生眨眨眼，拉直喉嚨喊：

「媽——」

「有話到客廳說！」母親的聲音透著慍怒：這麼大了，有客人在哪！

「媽！」豁出去了，照嚷不誤：「長途電話！」

母親來了，眉頭鎖得好緊。喆生溜下桌子，搭著眼皮看地板，咬咬下唇，揚起頭，一個字一個字說：

「大表哥出差到屏東，跟他們水利會的人出去勘地形……」

「知道啦，」母親不耐煩地打斷話頭：「他晚上來我們家，寫過信了。」

「他們坐吉普車滾下山坡，」整串話打著結，在肚裏絞得發疼：「大表哥被摔出車子……」

母親抓住桌角，臉立時白了一層。喆生扶她坐下，馬不停蹄報告下去：「現在在屏東醫院我已經搖長途電話過去。」

母親坐著不則聲，眼光由餐桌上一盤水仙移到牆角那砵報歲蘭，由報歲蘭移回水仙花，彷若分不清那個是水仙那是蘭花：眼神空空茫茫，鬢上幾絲白髮微微顫著——喆生第一次覺到母親老了。

母親愛花如命，父親難得由她手中拿花送人。只有大表哥有這份特權。他也喜歡蒔花養蘭，每次來都不會空手而去，怒放的美齡蘭，新萌的蝴蝶蘭苗，一缽缽、一株株往家搬。表哥是母親一手帶大的，他的兒時瑣事，喆生耳熟能詳。

電話鈴響。兩人同時伸手去接，還未碰到話筒，又同時縮了回來。客廳裡，父親和客人哈哈爆出一團笑。電話火急萬分地吼。一聲噴射機「刷——」地低掠而過。母親瞪住黑晶晶的電話，雙手合十徐徐搓著。喆生拿起話筒。母親探起上身，耳朵湊近來。

「高雄，高雄，屏東醫院出來了。請說話。」

「省立屏東醫院嗎？」

是的，一個女人說，屏東醫院……是的，有這個人……你是他家屬嗎？是？那麼趕快來！

「嚴不嚴重？」

「別說了！」女人急促地叫：「趕快來！快！」

母親坐下，搓著手。

「媽，還在醫院，就死不了。我去喊父親進來，叫吳司機開車，我們到屏東看表哥。」

母親默默點了點頭。

母親默默地拿走他手中的香，插在香缽。

失去了手中的依憑，喆生再也管不住自己，立在靈桌前混身戰慄放聲大哭。母親拖著他，按他在沙發一角坐下。

人聲又旺密起來了。這兒一聲唉，那邊一聲唉……

「如果不要坐那車子就好了。」

「如果不到非洲去，什麼事也沒了。」

「如果……」

「如果！」

「今天早上，」表嫂幽幽開了口，那些「如果」一下子沉得無影無蹤。

「就是今天早上，還收到他一封信。說二十七號回來，機票都買好了。還說給孩子買了土人玩具，還要到香港跟大家買這買那，還問大家要些什麼。我正想把信拿過來給大家看，妹妹來了，要我過來，說水利局幾個人在家裏。我問她什麼事，她說不曉得，只說有要緊的事。

「啊！你知道，電報早就到了，他們壓著，要我們過個好年。昨天你們都得了消息，只瞞著我一個——我一路過來，心想水利局同事眞客氣啊，人還未到家，就先跟他安排回來的新職位哪。進了門，我還跟每個人說恭喜，正月初五，還在過年嘛……」表嫂突地哭泣起來。

「誰知——誰知大家都不說話。媽媽一把抱住我，哭叫著說，他死了！你知道，不知爲什麼，我就像聽到別人的事一樣，一點點感覺都沒有——我眞沒心肝呀！」

表嫂捏了手絹的左手，握緊一個拳頭，猛猛敲槌自己胸部。淚水一滴滴滴在黑褲上。二姨拉住她，待她抽咽過來，帶著濃濃的鼻音說：

「別傷心了，人已經死了，再想也沒用……就當他沒死，只是不能回來，像過去兩年一樣。」

二姨丈是大姨丈的親弟弟，因爲好些原因，待在南洋沒回來。二十多年，二姨一個人把孩子帶大撐過來。活著，也只好當他死了。現在表嫂卻不得不把死了的人，當他還活著，只是回不來。

「阿嬸，他說走就走，把一切丟給我，三個孩子都還這麼小，叫我往後的日子怎麼過哪……」

正說著，大表哥四歲的小女兒從裏屋跑出來，尖叫道：

「媽媽！媽媽！二姐搶了我的白雪公主不還我！媽媽！」

珍表姐攔住她，低聲說：

「媽媽有事，妳到後面玩去，不要吵，乖乖的啊！」

「過年這幾天，孩子們看別人家孩子玩得那麼熱鬧，一直吵著要出去玩。我說，再等幾天，爸爸就要回來。等爸爸回來，再一道出去玩不是更好嗎？今天早上收到信，孩子們也都很高興。誰知道！誰知道他——」彷彿突然被人堵住口，表嫂嗚嗚地說不下去了。

母親彎下身，對喆生說：「到後面看大姨，姨丈吧。」

喆生用手背抹去淚水，拿衛生紙擤了擤鼻涕，站起來……

「阿生來看您了，」母親說。

大姨穿著一身黑絨旗袍，愣坐床緣，好似沒聽到。表哥的大女兒，靠著梳粧臺，臉上淚痕未乾，失神地盯住喆生。平日讀經學禪的姨丈，擁著棉被斜倚床欄，老花鏡後的眼睛無精打采，卻無有淚，只像著了涼，蒼老虛弱，虛虛嘆口氣道：

「命啊！命啊！這孩子從小事事不順，一劫復一劫，怎麼也逃不過這一劫，阿生，這回你想救他也救不到了。」姨丈搖搖頭，抽出一張衛生紙，響亮地擤擤鼻子。

「是啊，」大姨喃喃喃喃，彷若對自己說：「那回出了事回來我就說，好在阿生看了你一天兩夜，不然看你怎麼辦？他一直唸著，說要辦一桌菜請你。你不肯，他唸了好久好久。這回、這回——」

大姨忽地啞了，口裂得大大，卻沒有聲息。半晌，一絲乾枯的哭聲爬了出來：「兒——啊——兒——啊……」

省立屏東醫院那個小病房，窗門緊閉，瀰漫著一股撲鼻的消毒藥水味兒。水利會那位陳先生又把本來相當宏亮的嗓門壓得老低，聽來沉沉悶悶的格外窒人。

「唉，運氣不好。別人只受了點輕傷，只有他摔出來，唉……台北家裏，我們也有去了電話。臨時買不到飛機票，李太太今晚夜車下來，大約明早五點多會到。我們會派車子去接……我們正和空軍接洽，儘量趕早用軍機送他回台北。會裏四位同事就在這兒輪班照料，直到上飛機……」

「謝謝，」父親低聲說：「勞神了。」

「我看……」母親沉吟著：「我看我還是——」

望著裏在一張點著陳腐血斑的白被單中，滿頭紗布的大表哥：想著醫生說他斷了五根肋骨，折了小腿，跌破頭；喆生握緊冰冷的白漆床欄，脫口而出地說：

「媽，你回去吧，我留在這裏陪表哥。」

父母親走後，他披著那件草綠色的風衣，拖了一張椅子，坐在床邊，定定瞪住表哥——那張臉，縮得像一個太老的檸檬，乾皺，發黃，泛青。臉上不知那來那麼多紋路污斑。嘴唇紫黑焦裂，一口重一口輕地呼出火熱薰臭的氣息，不時那麼壓抑地低低呻吟。

「表哥，」他輕輕地說：「你儘管大聲哼吧！哼出來也許會舒服點。」

表哥瞇瞇微睜了眼，要說什麼，又說不出，闔上眼，果眞唉喲唉喲大哼起來。

對門有個女人嚶嚶泣著。水利會一位穿深藍夾克的人說，她丈夫遭卡車撞了，只怕沒救。

聽著表哥的呻吟、女人的哭泣、窗外的風濤，一陣陣冷流在背部騰沖不已，心頭一把火旺旺燒得坐立不安……

不知過了多久，喆生發現，一道鮮血從紗布汩汩滲出，沿著一綹頭髮，淌到表哥額角，聚在眉梢，忽地一溜，灌入耳朵……他打了盆涼水，絞了毛巾，拭去血跡。血又蠕出來了。再拭去。再蠕出來。再拭去。那個晚上似乎無窮無盡，永遠不會了。一整夜，就服侍表哥小便，一遍又一遍，把涼毛巾按在表哥發燙的額上：溫熱了，再絞，再拭。再拭。再拭……

午夜過後，對門那個女人呼天搶地狂號起來。藍夾克推門進來，說那個男人過去了——喆生的心陡然縮成一拳，聚精會神地細聆表哥急急緩緩的呼吸，覺得那是世界上唯一的，最重要的事。

一會兒，女人哭著由門外走過。病床轔轔轆轆輾過木板走廊，發著空曠的迴響，推入走廊盡頭的太平間。

停屍房高高踞在一個紅土坡上。房後六七棵直聳的木麻黃，其間雜著一棵鳳凰木，十分罕見地怒放了一抹抹火紅的花，遭雨打落在樹下的一輛大卡車和一部四分之三車頂上。落花襯著墨綠帆布車篷，浮在暮色中，紅得尤爲狠毒。偶爾一縷晚風，颳得花瓣繽紛，飄到褐紅的泥水中。

那是個石棉瓦的獨立屋。一方狹長的窗子開在離地兩公尺弱的木牆上。晚飯後來，喆生踮起腳尖，隔著玻璃往裏眺。一眺之後，心霎時涼了半截——約摸五個榻榻米的空間中央，兩條木凳撐住一個擔架，一大塊白布覆著景欽。地上薄薄一層血水，叫一盞燈泡映得鮮亮，活像剛刷過地板，偏又不愼打破一大瓶紅汞水那樣的紅法。

蹲在門口燒冥紙，雖不抬頭，也能感覺到那一片冷冷的艷紅直逼眼簾。兩扇褐黑大門朝內八字開，老班長的主意——在門外燒，才不致薰壞景欽；打開門，爲的是讓他看得見。兩枝白燭豎在空罐頭裏，左右分立，一高一低，熖紅帶紫的火焰在毛毛雨中，掙扎舞晃。一口黑鍋安在雙燭間，鍋中熊熊燃著紙錢，滴了雨水，凄凄直叫。一陣風流過，火勢低挫，黑灰往上騰冒，到了鍋口，又吸落下去……

一部卡車爬上坡，從冰廠運來幾方厚厚大冰塊。喆生攬胸抱了一塊，踩著血水，走進房中，擱在景欽身上。原以爲放在腳上，誰知才擺好，撒開手，卻掠到一把刷子那般粗刺的頭髮，髮隙還沾著泥屑。天！我壓住了他的頭——挪了挪冰塊，置於胸膛。許是把胸裏的氣壓出來了，景欽「吱——」地一叫。

聞得那一聲宛如猛力拖開椅子，磨著地板所發出的尖叫，弄明白怎麼回事，喆生倒不驚不懼了；微抬著下巴，低垂眼皮、拇指夾食指，緩緩、緩緩緩緩捏起白布一角……額上淡淡一絲血水，鼻子歪了點，眉宇之際卻一片安詳，彷彿他只是睡熟了——喆生十分滿意。

「跨！」

石破天驚的一響！喆生一噤，挨了蛇噬似地鬆開白布——周道平在門口滑落一塊冰，雙手低垂，哭喪著臉，嘴角一抽一抽的。

——不能讓他哭！他哭了，我會跟著哭成一團的——喆生走過去，還未走離擔架，周道平早已泫泫然爬了一臉淚水。

冰塊浸在血泊中，四分五裂，寒騰騰地冒著煙，看下去異樣怪誕——按住周道平肩膀，喉核一溜一溜；喆生別過頭，望向門外。濛濛黑雨中，兩點燭火不住地搖曳跳落著。半天，他拂平了聲音說：「少娘娘腔了！你哭死了，他也不會活過來！」

不說還好，一語未畢，周道平咧開嘴巴，不可收拾地大放悲聲，肩膀一掀一落，哭得好不悽慘。

「我——兒——啊！你——死——得——好慘！我——再——也——看不到——你！你

——怎能——不——先——說——一聲，就——走——了——呢……」

像歌仔戲的苦旦那樣，大姨顫著滿頭花白的髮，拖著長聲長調哭哭啼啼。

「媽，身體要緊，妳已經哭一整天了，大哥知道了，也會不高興的，媽……媽……」晶表姐拉住大姨的手直勸：「別哭了！媽！」自己倒大滴小滴地淌了兩腮淚。

立在床邊，喆生伸手按住大姨鬆軟的肩：「大姨，妳別——別——」他使勁搖頭，推著大姨，半張口，混身打顫，一句話也說不出來了。

母親拿手巾擦擦眼眶，打個眼色：

「怎麼又把大姨招得哭起來？你給我出去！」

出了臥室，喆生霍然癱潰下去，背貼著牆壁，閉緊眼咬住牙，失聲哭起來……

「命啊，命啊！」房內姨丈溫吞吞地說：「命裏註定他要這般死。妳再哭也沒有用……」

「大姐，」是母親的聲音：「自己身體要緊。妳躺下來養息一下吧——他爸爸在臺中，已經去了電話，夜車回來……明早再來看妳吧，大姐，妳歇歇……」

美表姐由浴室出來，眼睛紅腫，拿著一疊衛生紙，見喆生哭成那樣子，給了他一半。

「天啊，好累，早上接到電話，就坐快車趕著來，一直沒吃東西，頭痛得要死……」頓了頓，大夢初醒似乾號一聲：「大哥！」衛生紙掩住口，車轉身，又衝進浴室。

大姨的哭聲低了，嗚嗚咽咽含含糊糊地說：

「吃過飯再走吧。」

喆生再也受不了，狠狠吸幾下鼻子，衛生紙抹抹臉，擤擤鼻涕，回到客廳，在沙發坐下。

「什麼時候過去的？」二姨問。

「電報上說，下午四點撞的車，挨到晚上一點就過去了。」表嫂的弟弟說。

「那麼，就是子時。」二姨說：「一點鐘，是非洲那邊的時間，還是我們的時間？」

「不清楚，」表嫂盯著手絹說：「他們沒說。」

「要弄清楚，」二姨說。

久久，一份死寂塞住整個客廳。廳外，雨聲像鼓鳴那樣擂個不休。

「人什麼時候回來？」欽表哥問。

「就這兩天吧。他們說，儘快用飛機送回來，有了消息就告訴我。他們還問，問要火葬了再送回來，還是……」表嫂啜泣起來：「我說就是撞得粉碎，我也要人。雖說人死了沒有感覺，可是他怕痛的，平日一點小病小傷都要唉唉唧唧地哼。何況！……」

那場雨落到夜半就歇了。六月底的熱，活人都要發臭，何況死人。上面決定先把景欽入土，等通知了家屬，問他們意見，再作長久之計：燒成骨灰送回，或者就地安葬。

第二天，陽光普照。停屍房的血漬，兌著冰水，越積越厚，緩緩淌出門，繞過門前一叢綠草，蜿蜒蠕下紅土坡……

「你該歇一下了！」老班長說。

喆生茫茫然看著老班和他身後的擔架，牽滿血絲的眼睛眨了眨，身子不動。「老弟……」老班長半張嘴，嘆口氣，搖搖頭走出去。

轟！門外迸出一團曖昧的悶響，嗡嗡嗡，又止了。陽光糊在門檻上，蒸起溫熱的泥水味，揉在空間，凝凝滯滯。恍恍惚惚，那單調的嗡嗡又爬了出來。喆生扶著門，轉過身，幾隻紅頭綠蠅繞著坡上的細細血流營營不散。

蒼蠅！好似在夢中挨人砍了一刀，痛在心頭，卻叫喊不出。喆生一步挨一步走過去，用力一揮雙手。那點點烏綠懶懶騰開，絞成一塊，嗡嗡嗡，又歇落下來。喆生跺腳，揮手……揮手……

一部卡車在木麻黃樹下停了。兩個化粧師趕著一長一短的黑影邁過來，蠅群一哄而散……

化粧師掃掉薄冰，一把掀開白布——喆生咧開嘴，手顫著，想掩住口：景——景欽沒有下巴！

上唇猶存，露出幾顆碎鋸的門牙。原是下巴的地方，嫩紅痂紅，凝得斑斑塊塊，斑塊間的隙縫兀仍有稀稀血水滲著，如果那是溶冰，帆布擔架上可是濘濘一片殷紅。整個人幾乎要癱軟下去，想扭過頭，想走開，而喆生強迫自己繼續看下去——這是景欽哪！

景欽的胸稀爛稀爛，右手好好的。左肩脫了臼，向外扭轉；手肘折斷了，皮肉相牽。聽人說，人死了，膚色會泛白變青，然而景欽平坦的小腹依舊棕黑如昔，敷著冰水，閃爍著渙滯的微光。膝蓋雖則血肉模糊，總算藕斷絲連。一隻腳，黑襪染了泥漿血水；另一隻，球鞋還在，鞋凹朝外……他們忙亂中把他的腳擺錯了！

一個化粧師用高粱酒泡好一盆水，站起來，微微抬起擔架一頭，讓積血洩下。斷了的手肘掛在擔架外，景欽往下溜。兩隻小腿爭先恐後仆倒落地，血水噴濺到立在擔架尾端的化粧師的褲管。那個化妝師蠻不在乎地蹲下，拾起一隻腳，剝掉襪子。另一個擺平了擔架，熟練地翻過景欽身軀，拿浸了酒水的白布，拂拭他的背部……

喆生遽然旋過身，全身肌肉僵硬地立著發顫，卻一滴淚也不許自己掉；還有好多事要辦……景欽！景欽！……昏昏糊糊盯住木牆上一個小小的年輪，密密的一圈，可是怎麼數，也數不清到底有幾環。

化粧師爲景欽洗過身子，用夾板縛好手腳，又拿綳帶將他一層層包起，裹得只剩鼻子以上的顏面。喆生過去幫忙化粧師爲景欽穿內衣褲，撐起來，從背後套上白襯衫，穿上西裝。

充員很少穿西裝。昨夜收拾景欽衣箱，一下子翻出兩套。他家開西裝店。來連上這些日子，只曾見他穿過這件鐵灰色的，替他穿上，應該會高興的。景欽的脖子又長又粗，試了幾次，喆生怎麼也無法扣上領口的扣子。灰藍領帶，先在自己頸上打好一個小小紮實的三角形的領結，再爲他套上。想遮住那個沒扣好的領口，用力束得緊緊，忙忙又弄鬆了些：那麼緊，不是要勒死他，叫他喘不過氣來了嗎？

幾個人把景欽放進特大號的忠靈袋。喆生慢慢拉上拉鍊，在鼻端停了一下——是的，他只是睡熟了！

一方陽光由窗子跨進來，落在草綠色的忠靈袋上，將袋上那枚青天白日的國徽照得輝燦。

靈桌上，兩枝蠟燭模樣的塑膠燈，幽幽發散蛋黃紅的光芒，將壁上照片烘得暈黃：大表哥神采煥發地笑著——這樣一個興高采烈的表哥，我是不認識的……

大表哥浸在一片床單與繃帶的白中，浮出半個頭，舌焦唇裂地長哼短嘆，昏昏迷迷沉睡過去……昏昏迷迷轉醒過來，懵懵懂懂地哀著：「……渴……口渴……水……渴……」……值夜護士來了又去，去了又來，丟下一句話：「不能給他水喝！」

而表哥眼睛半張不闔地哼：「渴……水……渴呀渴……」護士前腳才踏出門，喆生跳起來，不管三七二十一拿了棉花沾開水，濡潤表哥乾裂發烏的嘴唇。表哥的舌頭立刻搶出來舐，吸了吸，重重嘆口氣。

五點多，醫生又來了。喆生忍不住問，是不是可以給他一點水喝。醫生不響。

「他一夜就在叫渴，」不顧護士在一旁瞪眼，他纏著醫生說：「不能給他一點水嗎？就一點點。」

那個禿頭的醫生，打眼鏡後用鈍滯的眼光望著他，點點頭。

「是不是也可以給他一點橙汁？我們買了好多橙柑。」

「一點點，」醫生笑了：「一點點。」

喆生興奮得慌張起來，手忙腳亂切了橙柑，又擠果汁，好像再不快，護士又要進來，叫他不許給表哥喝水。

「我們走了。」二姨說。

表姐們通通起立送客。二姨和母親妳一言我一語不憚厭煩地交代這吩咐那。

喆生拿了風衣，站起來，到了大表嫂面前住了腳。

表嫂不言不語，雙掌貼膝，深深一個鞠躬。

——那一年在屏東醫院，她就是這樣，那天……

喆生好容易弄好橙汁，正用湯匙一口一口餵表哥，門外沓沓雜雜響起一團人聲。門開處，水利會的人和醫生護士擁著表嫂進來。

表嫂脂粉不施，頭髮蓬散，臉上卻什麼也沒寫。進了門，先不看表哥，對著喆生，雙手貼膝深深一鞠躬。擱了大衣，自然地接過他手中的茶杯湯匙。

「阿嫂——多多保重，孩子還小……」

多蠢的一句話！聽著表嫂那一聲低啞的「謝謝！」喆生勒緊風衣急匆匆出了大廳。

風挾著雨絲撲上來，罩得滿身冰涼。

珍表姐送到大門口，欠身說道：「再來玩哪！」

「碰！」司機將十輪卡車後的檔板關攏了，噹噹插上鍊條。

車廂中央擺著一口棺材，棺材邊躺著景欽的忠靈袋，六個人分立兩旁。剛剛就是六個人將景欽抬上來的。一面抬，一面唸：「走了！走了！」老班長說，這樣唸，景欽才會跟上來，人就會輕多了。喆生只覺得愈抬愈重，重得想撒手，彷彿景欽不願走。上了車，才立穩，卻見停屍房前的草叢，一群蒼蠅飛舞著，嗡嗡嗡，嗡嗡嗡……

卡車卡卡卡開下坡，上了公路，忽又煞停了。

一個人爬上來，竟是回去渡假的副連長。

「唉，我剛下船，初初聽到怎麼也不相信……唉，我什麼事也沒替他們做，現在就讓我送他一程，爲他釘棺吧！」

喆生下意識地鞠了一個躬。不是因爲他是副連長，而是，——活像自己是景欽的什麼人：他的親屬，他的兄弟。覺察了這層，心頭不禁游過一陣驚訝與欣慰。

老班長教大家把紙錢往外撒。糊著錫箔的黃冥紙，在身後黑亮亮，綿延不盡的柏油路面旋搖，一群粉蝶似七翻八落，飛到路旁的紅泥地和翠綠的相思樹叢，飄飄直上清澄麗亮的藍天。

赤紅的新土堆在坑旁，迎著午日濕潤爍亮。一人深的坑底，擺著那口棺材，景欽的上身斜斜躺在棺外。

大太陽下，七八個人呆呆立著，眼光聚在景欽胸口。

——這是我最後的差事！

喆生一聲不響跳進坑底。

泥土鬆軟異常，半截皮靴陷進泥裏。咬著下唇內壁，眼皮低垂，他對自己說，這是我最後一件差事！

景欽……按住忠靈袋，雙手不抖不顫，僵直僵直往下壓。景欽！你下去吧！過幾天，我們就讓你出來，送你回家。景欽！景欽！……眼睛直直望著正前方，棕紅的土，土上的青天，雙手死命往下壓；景欽，你下去吧！你下去吧，景欽！……明明是自己用力硬塞進去的，他覺得景欽的身體聽了他的話緊縮了，或如冰塊那樣溶去多餘的體積，順順利利往棺底滑落。

「你起來吧！」副連長說。

景欽，景欽，景——欽……

副連長跳下來，輕輕推他：「你上去吧。」

老班長把他拖上去。

坑前擺著景欽的遺像，像框上紙紮的白花簇擁著「為國捐軀」四個大字。像前供著一個大西瓜、兩個香瓜、一掛香蕉、三個檸檬，還有景欽最喜歡的高粱。

喆生把紙錢一張張放進火小爐，不時猛吸一下鼻子。

彷彿應答，坑底冒出一聲「卡！」

副連長開始釘棺了。卡！卡！卡卡卡！

喆生扭過頭。

湛藍穹窿下，紅綠斑雜高低起伏的坡地，籠罩著夏午的洋洋懶意。新墳前插著香梗、枯花，舊墳上綠草萋萋。不遠的一方墓碑嵌著照片，看不清影中人的形像。

鼻子愈吸愈酸，酸意直攢心頭。喆生閉起眼，景欽，景欽，景欽給過我一張照片：「副排長永念」……再睜眼，只有一團模糊。一片片黑灰浮揚沉落、伸縮變形，一聲聲刺耳的尖響，忽遠忽近盪漾著：卡、卡！卡！卡卡卡！卡！……

忙忙走進房間，喆生忽然打消了翻尋照片的念頭。他讓風衣自手上滑落，奇怪地打量著房中的一床一椅；熟悉而又陌生——對於兩位逝者，他竟也有這種怪異的感覺。但他決定不去翻箱倒櫃找照片。那些照片，看上一百遍，仍會有一種不眞不實的被欺之感。心底自有他們的影像，儘管瑣碎模糊，卻是親切動人的，經得起時光的浸蝕，不會發黃腐爛。

幾乎不自覺地，他找出乾衣褲，到浴室，慢慢地脫衣、拭身、穿衣。將濕衣攢進洗衣籃時，喆生瞥見鏡中鼻紅眼腫的影子。他怔住了！不能相信自己曾傷心哭過。成長以來從不會大哭過，即使景欽死時，始終也未如下午這樣失態。他不明白怎麼回事……

出事後一個禮拜，喆生退伍。輔導長來信告訴他，他走後幾天，師部和縣政府舉行盛大的追悼會，祭悼連長和景欽。景欽的骨灰在七月中旬送回台東老家。

回來前夕，喆生到景欽墳上告別。他對自己發誓，回來後第一件事是去看景欽的家人。幾年過去了，他沒去。不是忙不是忘，而是不知如何去面對他們。他甚至逼自己不再去想景欽。也許那可以成功，如果大表哥不死，不這樣死。

端詳著鏡中的嘴臉，他突然對自己的違信背諾，以及下午反常的舉止，感到無可名狀的難堪與訝異，至於憤怒、恐懼——一剎間，喆生驚覺到他不再，或根本不曾認識自己！

「吃飯了，哥哥！」妹妹在餐廳喊。

晚餐的號音響了。營房裏的人，三下兩下走得光光。

喆生推開房門，徐徐步入大寢室。

通舖上，一排平整的草蓆，豆腐干般方正的軍毯。景欽的舖位空著，光禿禿的床板上，孤伶伶蹲著一隻鋁杯：杯中盛著半杯夕陽半杯陰影，杯耳在床板上勾出一個半圓。

喆生立著。半晌，緩緩伸出手，提起杯子，陽光自杯口溢失。

「哥，吃飯啦！」

「噓！」母親壓低了聲音：「別理他，由他去！」

才在床緣坐定，喆生站起，走到客廳，從酒櫃抓出一瓶酒，倒了半杯。正待喝下，又到母親的藥盒倒出三粒鎮定劑，和酒吞下，眉眼嘴鼻湊擠一團。待那股辣烈的眩暈逐漸褪落，喆生放下杯子，回房間，爬上床。

久久，一絲絲混沌的想頭，溶在酒意中，一波又一波地在他體內興瀾作浪……

景欽入土那夜，敵人家常便飯地虛擲砲彈，我方也不時發砲還擊。抽個冷兒，窗外熚熚然閃過一道白光，將營房映得通室炬亮。砲彈落得近些，大地微震，窗櫺格格戰慄；落得遠，只有一團悶悶的轟隆。

躺在床上，握緊兩個拳頭，睜眼對著天花板。在砲聲歇止的空檔，喆生聽到，屋外，風，冷冷泅著；旗桿上的鐵索寂落地輕敲桿身。一整夜，那串脆音在空間迴游不休：叮、叮、叮玲叮……

有人敲門。

「哥，」妹妹在門外說：「電話。華璇姐姐打來的。」

「告訴她我還沒回來。」

「我已經跟她說你在，她下午來過三次電話找你。」

「告訴她我睡了。」

「哥——」

「我睡了！」

喆生翻個身，把頭埋在枕上……忽然想起他把傘忘在大姨家了——幾刻鐘後，他昏昏睡過去。

第二天，他起床，上洗手間，洗臉，漱口，修面，穿衣服，打領帶。九點半有個約，已經快九點了，喆生依然慢條斯理地吃早餐：兩大杯牛奶，一個雞蛋，五片麵包，麵包間塗了厚厚的牛油……

一九六九年三月

蟬

（上部）

「五五六四八九？」

「對。五五六四八九。」

莊世桓從郭景平手裏接過那枚握得汗濕的銅板。

「咚！」錢掉下去了。五—五—六，四—八—九。

「嗚——，嗚——，嗚——」

「講話中，」他掛上聽筒。

「等一下再打吧——別忘了，如果眞的是她媽媽來接，就說找陶之青，就說你是她同學，要向她借筆記。」

「已經放假了，沒有人會問她借筆記的。」

「她媽媽才不管這些。就說你要準備補考。」

「去你的！你去補考好了。你自己打！」

「不行。她媽媽認得我的聲音，這樣她就不好出來了。她那個媽媽專接電話，陶之青說，電話剛好在牌桌旁邊。」

莊世桓把一塊錢挖出來，再投進去。這回，電話爽快地拉直喉嚨窮吼。「咕嚕嚕，咕嚕嚕，咕嚕嚕……」

「噹！」錢落到底——一個男孩子的聲音冒出來，沙沙啞啞，剛睡醒似的：

「喂？找誰？」

「陶公館嗎？請陶之青小姐說話。」

「等一下，」聲音揚高了：「三姐！電話！」

話筒被重重甩下，震得耳朵嗡嗡響。莊世桓把話筒移開點，一縷鋼琴的叮噹還是茫茫斷斷傳過來，聽不出是什麼曲子。

郭景平一手插腰，一手撐在牆上，睜睜望他。

「是她弟弟，去叫了。」

「哦！」臉上的笑立時濃了一層。

「到底是不是你女明友？嗯？」

「是就好啦。來了你就知道。怪有味道的一個女孩。」

一百里外，有人在喊：「三姐！電話！」

鋼琴止了。咚咚咚，有人下樓——有人拿起話筒：

「陶之青。那位？」夜闌人靜時的簷滴，一字一個清脆，直打在人心版上。「喂？那位？」

莊世桓揚揚眉，點點頭，郭景平搶過話筒。

「是我！鍋子！哈哈！想不到吧！」要是那個陶之青的母親眞的在一旁打牌，一定也聽見了。

莊世桓站到一旁。有人要上樓，他又退了點，乾脆靠在壁上。郭景平對著話筒，哇啦啦地，又是請，又是求，又是恫嚇；空著的那隻手，全是動作，全是表情。櫃臺後邊，有一張日本娃娃樣圓臉的老板娘，淨拿好玩的眼光往他們看。

大一那年，莊世桓第一回跟同學到明星，老闆娘就在櫃臺後那麼正襟危坐，朝著老顧客微笑。人來人往，像這種打電話的場面，她一定見多了。

他可是第一次扮演這種角色。反正剛考完大考，剛送走吳哲，剛由監牢放出的犯人似的，又倦又累，又不甘心在房裏待下來。四處晃，想想喝杯咖啡也不會死；反正今天晚上鐵睡不好。誰知一進明星，就遇上這個郭景平，被他拖下來打這個莫名其妙的電話——陶公館？我的天！這個傢伙是叫郭景平嗎？莊世桓實在記不清。只見過他一回。那回拖著吳哲參加的舞會裏，這個姓郭的穿了粉底藍直條的襯衫，像條熱帶魚。他們說他是畫畫的。畫畫的人大概有這種特權作怪吧。留長髮，花襯衫，說話哇啦啦。

「Okay，講通了。」郭景平掛上電話。拍拍手，笑嘻嘻地拖著莊世桓往樓上跑。

「你沒事吧？不要走。等等我們喝酒去。」

「等一等，我把我的咖啡帶過來。」

郭景平的桌上還有兩個人。他介紹，男的是朱友白。女的叫劉渝苓，短短的頭髮捧著白白的圓臉。

「這是莊立恒。」

「是莊世桓。」

女孩子笑起來，笑裂了嘴，嘴裏有塊口香糖。閉了口，嚼兩下，問：「陶之青來嗎？」

「她不敢不來。我叫她叫個計程車。」

「算了吧！」朱友白說。方臉，濃眉，黑框眼鏡，短短的平頭，興致很好的樣子。說著，點了一根菸。

郭景平從朱的菸盒抽出一根，問他要不要。莊搖搖頭。他擦了根火柴，爲自己點了。深深一吸，拿開菸，煙由鼻孔、嘴巴蓬蓬冒出。

「九點四十了，」劉渝苓說，嚼嚼口香糖：「陶之青最好快來，明星十點鐘打烊。」忽然笑起來，倚在沙發靠背上，笑得雙眼瞇成一條線，別過頭，問朱友白：「記不記得那次，我們在三樓聊天，聊得忘記時間，想起來時，已經十點五十，趕下樓來，二樓一團黑，那個胖胖的waiter，站在梯口，不聲不響塞給你一張帳單。你嚇得連找錢也不要，拖著我趕快跑。」

朱友白點點頭。

劉渝苓低頭吸了幾口檸檬水，嚼著口香糖，又說：

上被撵走。」「陶之青最好快來。今天我們跟鍋子這種話多屁股長的貨色在一起，十點一到，一定馬

郭景平吐出一口菸，手一攤：

「酒店關門我就走！」

朱友白不以爲然地撇撇嘴。莊世桓跟著劉渝苓神經質地笑起來了。望望只剩兩口的咖啡，滿滿一小杯的奶油，拿起奶油全放進去，半杯灰褐，可可一樣的。

「你知道嗎？」郭景平說：「我將來要開家咖啡屋。」

「你準備做的事可眞不少，什麼時候又想開黑咖啡館？」劉渝苓說。

「不黑，不黑，」郭說：「亮得像大白天那樣。全部牆壁都用透明白塑膠板圍起來，燈光放在塑膠板後，有許多顏料讓顧客玩，畫他們高興畫的……」

「畫在那裏？」

「塑膠板哪。這樣，整個房間全是色彩了。你要是看別人畫的東西不順眼，就拭掉，畫你自己的，也可以寫你所能想得到的髒話。還有，」郭景平一拍桌子，杯杯碟碟，跳一下，又立穩了。「通宵營業！」

「這種地方，怕只有你這種人去了。」

「瞧著吧，等老子有了錢！」

朱友白「嘩」的一笑，煙曲曲扭扭地游了滿空。

「少蓋了！等你有錢？等到什麼時候？——對了，你最近生意好嗎？」

「馬馬虎虎，反正不怕賣不出去。」

「還在抄胡奇中的？」

郭景平搖搖頭：

「抄他的人太多了。現在專畫梵谷。外銷。」

「我的媽喲，」朱叫道：「你也一點一點地點？」

「嗯，並不難，常常一個晚上就可以畫一幅三號的，包你分不出眞假。」

「該死！」劉渝苓說，吐出口香糖，丟進菸灰缸：「梵谷要從墳墓裏爬出來，割掉你一隻耳朵來賠。你什麼時候才認眞畫你自己的東西？」

「等我有了錢！」郭景平大言不慚。豎起一根食指，不知還要說什麼。頓了頓，食指縮回來，握成拳頭，一揚眉，說：「唉，陶小姐到了！」

一個瘦瘦的女孩，立在樓梯口，望見他們，一笑，繞過一列檯子，椅子，飄到桌前。長髮流到肩後，髮梢鬆鬆縛著一條淡青的緞帶。寬蕩蕩的淡黃襯衫，灰底細黃紋的短裙下，露出一對小小的膝蓋。不很高，但是因爲瘦，也因爲臉上的線條十分突出，顯得很挺，很有精神的模樣。

「吳郭魚又在蓋啦？」挑著嘴角，似笑非笑的。

朱友白站起來，讓出位置，劉渝苓拉著陶之青的手，要她坐下。人未坐下，見郭景平不則聲，又接上一句：

「是不是畫賣得太多，闊得不好意思？不然幹嗎當兵去還要請客？」說著，一昂頭，眼皮一搭，很是挑達。

莊世桓彷彿見過她，卻記不起在什麼地方。

郭景平光會笑，一支菸夾在指間，燒得只剩個濾嘴。

陶之青剛坐下，劉渝苓便拖著她問：「唉呀，那兒買的這麼可愛的一條裙子？」

「別提啦，」陶之青揮揮手：「剛剛要出來，還眼我媽扭了半天。她一定要我換件像樣點的。她說這根本不是裙子，只是一塊布，風一颳就會飄走。」

「陶之青，」郭景平說：「這是莊世恒。」

「莊世桓。」

劉渝苓咬著下唇，憋住笑。陶之青笑著點點頭。

莊世桓忽然記起來了！

「陶小姐，我想我們見過吧？」

陶之青抬起頭，用手掠開爬到額上的髮，睫毛一掀，眉毛抬得高高，半張嘴，像在說

「啊！」的樣子。

「有一回，上個月吧。就在這兒，三樓，妳跟一個朋友，向我借報紙，要看電影廣告。不過，那時妳好像戴著一副眼鏡。」

「哦！我想起來啦。那回你一個人坐在窗口。對不對？」陶之青手肘靠在桌上，撐住臉頰，不住點頭，不住笑：「那天我是戴限鏡的。我那陣子還沒戴慣這個隱形眼鏡……」

郭景平興奮地往前挪坐一點，急切地問：「跟誰在一塊兒呢？那天。」

陶之青抿抿嘴，下巴一翹：「你管不著！」又偏過頭對劉渝苓說：「妳猜那天我們挑了什麼片子看？向日葵。稀爛的一部片子！破到無以復加……」

郭景平拉住我：「你記不記得那個男孩子什麼樣子的？」

莊世桓說記不清楚了，似乎穿了件黑色運動衫。

「少洋相了，吳郭魚。」陶之青無可奈何地搖搖頭：「是小范——說了半天，你今天晚上到底請我們什麼呢？我來這麼久，開水也不見一杯。」

「就打烊了。我們到新公園喝酒。我跟友白先去買啤酒。」

「去吧，反正我看你非把錢花光，明天是捨不得上火車的。我還要坐一會兒，等一下到公園大門口跟你們碰頭，好嗎？」

「郭子，」劉渝苓說：「我要牛肉乾，帶果汁的那種。」

郭景平說好，拉著朱友白一道下樓。

劉渝苓跳起來：「朱友白永遠這麼混。你瞧，又忘了帶摩托車鑰匙。」抓起桌子的鑰匙，追下樓去。

陶之青聳聳肩，朝後一躺，窩在沙發跟牆壁交接的角落；伸手撥亮壁燈，橙黃的光，瀉了一桌。

「你知道我爲什麼喜歡明星嗎？我喜歡這些小壁燈，這些笨笨的大理石桌面，讓你覺得很安全——我的天，眞熱，你叫他們給我一杯冰水好嗎？莊——」

「莊世桓。」莊世桓笑，說著摸摸鼻子。

「怎麼寫的啊？」陶之青問。雙手捧著下巴，偏著頭，眼睛裏有一種奇怪的、認眞的神情——會是因爲隱形眼鏡的關係嗎？

■

燈光透過逐漸昇騰的霧氣，灑在一片高麗草上，恍若清晨的旭陽。

五個人慢慢由黑處踱出，郭景平的聲音搶在前面。

「我的媽喲，明天這個時候，老夫就在帶兵了。副排長，乖乖，可以管二三十個人呢！——我操！朱友白，立正！你笑什麼？你牙齒白？給我做五十個伏地挺身！」

劉渝苓躲在朱友白身邊，吱吱地笑：「鍋子最死相了！」

朱友白擺著手：「少烏龍啦，鍋子！」

郭景平走到旋轉門前，用肩膀推門，弄錯了方向，故意賴在那兒不動。

莊世桓打開另一扇門，陶之青走過去：

「吳郭魚品德最差，喝了一點啤酒就借酒裝瘋。」

「陶之青！」郭景平隔著鐵欄柵，在門的那邊喊：「妳還欠我一張畫，妳答應給我當模特兒的。」

「你自己少賴皮！你還差我一張梵谷的向日葵，」陶之青回過頭叫：「不要以爲當兵就可以混過去。」

莊世桓笑笑，抬眼望見博物館圓形的屋頂，一團淡青雜在霧中：春天開滿蒲公英的草皮——好奇怪的一個晚上！

走到公園門口大銅牛旁邊，郭景平趕了上來，夸啦夸啦，迴響在空曠的廣場。

「陶之青，我送你回去吧！」

「謝謝，莊世桓送我。你還是回去睡覺吧。明天趕不上火車，報到晚了，看人家抓不抓你去槍斃。」

「那我送你，劉渝苓，不要坐友白的摩托車，他喝了酒，會把你開上安全島。」

謝謝。

劉渝苓笑著不語。

一輛計程車慢下來，莊世桓招招手，車停了。莊世桓轉過身，握握郭景平的手，跟他說

進了車子，陶之青由窗子探出頭來：

「吳郭魚，別忘了寄一張你光頭的照片給我！」

車子走了。郭景平在後面大聲嚷：

「陶之青！大傻瓜！預官不必剃光頭的。」

「鍋子，你今晚怎麼這麼噁心？」劉渝苓咯咯笑。

車子開上館前街，車燈在灌滿白霧的大峽谷，開出一條路來。

「到那裏去？」司機問。

莊世桓別過頭，望著陶之青。

陶之青坐直了，呵口氣：

「我的天，眞臭，回家少不了一頓臭罵。」眼睛一溜，睫毛一閃：「你剛說你那個同房回去了是不是？」

「嗯。」

「那我到你那兒過一夜好麼？現在回去又得按鈴，吵醒全家。」

啤酒帶來的那點兒昏眩，蝕得一乾二淨；莊世桓驚訝得半張口，盯住她。隔著車裏的黯，陶之青毫不含糊地睜眼回看他，眼皮、頰上一抹酡紅，眼中水汪汪的，卻無有遲疑，無有心機，彷彿她只說了一句「我們吃客冰淇淋去好嗎？」

莊世桓摸摸鼻子，吞口口水，對司機說：「安東街！」

「你還有菸嗎？」

莊世桓搖搖頭。

「跟司機要一根吧。」

「我抽莒光的。」司機說：「小姐抽不慣吧？」

「很好。我喜歡莒光。」

莊世桓接過菸和火柴，把菸給了陶之青。擦了兩根火柴，都吃風噬熄了。正要搖上車窗，陶之青笑著搶過火柴，「叭」的一下，點活了菸。往後一仰，滿意地噴出一口煙，又扯下髮帶，甩甩頭。風不住把她的髮絲撩到莊世桓臉上，把她吐出的煙吸到窗外，溶進霧裏。

計程車在籠著霧的路上飛馳。莊世桓看看腕上的錶：一點二十三分。——吳哲應該已到高雄了吧。——一陣顛簸，陶之青晃到他身旁。莊世桓伸出一隻手，橫過她的肩，擱在椅背上。剛擱好，又縮回來，低頭點了一支菸。

吸著菸，望住車燈燃亮的霧，霧後的黑；車子似乎被困在夜霧裏，不再前進。他希望車子永遠這樣走，永遠不要停。

■

沙——淅——淅瀝淅瀝。淅瀝——什麼時候下起雨來啦？莊世桓納悶著。淅瀝。淅瀝。絞緊眉，閉緊眼，伸手擋住一縷看不見、卻感覺得到的光。

莊世桓翻坐起來，甩甩頭，甩去那束緊追不捨的亮光，甩去殘存的一點睡意。還未張開眼睛，就已聞到一股濃郁的咖啡香。

窗簾沒拉攏，在微風中飄著，一條陽光端端地在長沙發打個摺，瀉到地板上，躺直了。細細的塵埃排著隊，往窗口游溯，又列隊竄回地板。壁角，一壺咖啡尖著嗓子吱吱叫，冒出一蓬蓬乳白的蒸汽。

莊世桓眨了眨眼，抓抓頭髮，走過去，拉開窗簾。大幅日光浩浩蕩蕩劈將進來。他深吸口氣。風，搖顫著他沒抹油的亂髮——「砰」，背後有人打開門。

「唉，你起來啦。」陶之青站在浴室門口，一條水綠的浴巾裹在頭上，笑裏溢著睡飽了，又洗過了澡的那種新鮮味兒。

「十點半了。不過我看你睡得爛熟的……」款款行至客廳中央，偏個頭，摘下浴巾，黑髮瀑布樣地刷下來——「唉，我的天，咖啡壺要炸了！」疾走過去，俯身拉掉插頭。立在几仍氤氳的蒸汽中，捏著浴巾，拭去頸際的幾粒水珠。一昂頭，長髮甩到肩後，衝著莊一笑。

莊世桓看看短褲下兩條長長的毛腿，不知說什麼才好；這麼一身內衣褲想想也沒什麼；聳聳肩，回她一個笑。抓起披在沙發靠背上的長褲，摸摸鼻子，吹著口哨進了浴室。走過陶之青身畔，聞到她身上那股Lux香皂味兒，心，陡地一抽——吳哲的味道！

漱洗過，出來。陶之青坐在唱機旁的搖椅上，撥弄著吳哲的吉他，浴巾掛在扶手處，直拖到地板。餐桌上兩副咖啡杯，還有一碟煎蛋，蛋白中央托著一球蛋黃。一朵黃蕊的白蓮。他禁不住笑出聲來。

「你們眞是白住了這麼大一個房子——冰箱是空的，有牛油，沒麵包，cheese長了青霉。我搜了半天，只找到兩根胡蘿蔔。總算還有個蛋，不然你什麼也沒得吃了。」

莊世桓望著她：這個女孩，我眞服了。

「這陣子忙考試，都在外頭吃的。眞虧妳找得到蛋。前天晚上，我就找不到。」

「在放蔬菜的箱格裏，」陶之青一拍搖椅扶手，人彈了起來：「跟胡蘿蔔在一起。吃吧，都要冷了。」

莊坐下，替她倒了杯咖啡，又替自己倒了一杯。陶之青接過去，啜了一口：「你不要奶精嗎？」

他搖搖頭，舌尖舐了舐牙齦，剛剛刷牙擦破了，有點血腥味兒。

「但是，你昨天晚上在明星那杯可眞調得像杯牛奶——算了，我還是替你拿去吧，不然連奶精也要酸了。」

莊世桓把奶精倒了一大堆，小孩玩遊戲似。抬抬眼，陶之青抿著嘴在笑，唇角一滴咖啡。把奶精往她一送，她搖搖頭：「我什麼都不放。早餐就是這麼一杯黑咖啡——有根菸倒不壞。昨晚出來，匆匆忙忙，皮包也沒拿。」

他到書房拿了香菸，還有菸碟，幫她點上一根。

「睡得還好吧？」

「嗯！」陶之青繃起眉，搭著眼皮，點點頭；雙眉低垂，眼皮上掀，黑白分明的眼睛一翻，緊跟著一個笑：「你呢？——天地良心，我可沒意思要你睡沙發。誰知道你們只有一個床——我告訴你，可別生氣，那條荷青緞面的被子給我睡得走了樣。我有個該死的習慣，夏天晚上喜歡把臉貼在被面上睡。你知道，涼快。」

「我知道，我有時也這個樣子。」

「枕頭呢？你也要把枕頭槌出一個窩窿，再把頭放上去嗎？」

莊搖搖頭說不——吳哲是這樣的。「我剛好相反，我非得把枕頭弄得鼓出來才行。睡塌了，再翻過來。」

陶之青笑抖抖的，彈彈菸灰：「好好在這方面做個調查，眞可以寫篇有意思的文章！」

眼睛一溜，牽出一個詭譎的笑，低頭啜了口咖啡：「唉，你知道嗎？睡在那房間，我覺得像在家裏——不像男孩子房間。」

「哦？」他嚥下最後一口蛋，啜口咖啡，抬起下巴，食指中指摸摸鼻尖，沿著鼻樑摩挲，到了眉心，往下滑，滑過濡濕的唇，滑到下巴：剛剛應該剃剃鬍髭。

「男孩子的房間該什麼樣子？」不知怎麼搞的，聲音倏地低粗起來，車輪輾出來似的。

「Well——，有股子氣味。」

「什麼味道？臭襪子，破皮鞋，發霉的濕棉被加起來的臭？」伸手抓了支菸，點了，吸一口，喉嚨竟乾得火燒，又擱下。

「也許，也不是。嗯——也許你們這個房間太乾淨了點，連枕頭套子都乾淨得不對勁兒，還有股香水味，」笑笑：「還有壁上那些亞蘭德倫跟安東尼帕金斯的照片——你喜歡他們嗎？」

他翻翻眼睛，吁口氣：「嗯——不！」

「我想你不會喜歡的。不過，你那roommate呢？一個sister-boy，還是什麼的？」偏著頭，髮絲斜蓋過一隻眼睛，剩下的一隻，眨著，眨著……

莊世桓想，我該拍桌子站起來了。手在桌面上拂了一把，撈起菸，彈了彈，煙灰不偏不倚掉在菸碟外。煙銜在唇間，沒抽；卻聽到鄰家那隻金絲雀滴溜溜地千迴百轉，書房裏鬧鐘

「擦、擦、擦」，跑馬似地。

「當然我只是瞎猜……」

莊世桓摘下菸，拿起杯子。黑褐褐的液體漾著，漾著天花板的白，他背後的光、他的黑髮，繞在髮上的煙，眼瞳中兩點晶亮，杯緣半張的嘴——彷若給自己的影像嚇著了，他怔著，閉了口，咬咬上唇——吳哲啊！——他抬頭。陶之青噴出的一團煙，霍然朝他襲來！

吳哲是他高一的同學，在南中。高挑、削瘦、透明、純淨。大伙兒打完籃球，土牛似的，只有他，儘管冒著汗，仍像剛洗過澡那樣，看來清清爽爽的。高一暑假，他父親調到台北，吳哲跟著轉學。聯考放榜，莊世桓在他考上的那個大學名單上，看到吳哲的名字，外文系。

雖然不一班，莊不時在校園碰到吳哲——那個教我們打八段錦的趙老師還在南中嗎？忙嗎？——考得好不好？——就是這樣。常常打個招呼就算了。莊世桓偶爾也聽人談到吳哲。他的英挺和冷傲同樣的出名。班上活動他從不參加。圖書館裏也很少看到他的影子……

直到今年，直到大二下註冊時，吳哲去插莊世桓的隊。兩個人一邊辦手續一連聊，莊談起他正在找房子；來得太遲，學校附近便宜點靜點的房子都租出去了，頭大得很。吳哲熱切地建議，搬去跟他住。他父母和弟弟去年夏天搬到高雄，現在他獨自住著一個兩房一廳的公寓。當天黃昏，莊世桓和吳哲一道回家，用他那輛走起來叮叮噹噹的破腳踏車，分兩次把東西搬過去。

然而，他實在不知道吳哲是這樣的一個男孩子！不知他晚上睡覺還要亮著燈。雙人床大得可以睡上四個人，吳哲卻硬往他擠，把他擠到牆邊，好似怕他半夜裏會逃了。更教莊受不了的是，早晨轉醒來，吳哲先不睜眼，先摸摸他是不是還在，然後才安心地打開眼睛……

一天，他先起來，在浴室修臉。只聽得臥室一陣窸嗦，吳哲低喚一聲：「世桓！」他沒理會，繼續刮他的鬍子。接著，又一聲慌亂的驚叫：「莊世桓！」一失手，唇邊冒出一粒晶紅的血。下一秒，他從鏡裏望見吳哲到了他背後，臉和壁一般白。他抓起毛巾，拭去血珠，冷冷地問：「幹嗎？」吳哲貼著牆，說：「我以爲你已經走了。」血又冒出來了。他摔下毛巾，衝進書房理了理筆記，把門一摜，走了。

晚上回來，信箱有一封吳哲的信。他帶上樓，放在餐桌上。過一會，吳哲進門，對信瞥一眼，先不拆，抱住吉他，一曲接一曲，從流行歌彈到佛朗明哥。莊世桓也不睬他，自顧自睡去。

半夜，他覺得有人拗著他的臂膀。是吳哲。睡得死沉，右手擱在他臂上，食指尖裹了一層紗布，布上凝著黑褐的血，十分刺眼。他輕輕把那隻手移開。翻個身，滾到牆邊，一股嫌惡蠕上來。但在似醒未醒的矇朧，他並未瞭然，直至第二天——

吉他歪歪地倚著搖椅，一條弦斷了，捲成一團，像一條蟲。那封信攤在地板上，縐縐的，被揉成一球又打開過似，莊世桓好奇地撿起。如果不是親眼讀了，他絕不相信，世界上竟有這種事！男孩子竟會寫這種信給另一個男孩子！他明白了夜裏的那份感覺，他決定搬出去。

接著一串小考，房子一時沒找妥。考完了，一位南中老同學邀他參加一個家庭舞會，還要他多帶兩個男孩子。心存著應該給吳哲一個機會，讓他跟外面的世界多多接觸，他拖吳哲去。

吳哲去了，靜靜坐著，後來突然對一個穿紅洋裝的大一女生發生興趣，一連請她跳了四五支舞，兩個人坐在暗處又說又笑。然後，如同開始那麼突然，他把人家撇下，走到擁舞的人群中，告訴莊世桓，他要走了。

那位老同學挽留他。莊卻說：「要走你自己先走吧！」

滿肚子火，他回來，吳哲已經上床了。慘白的日光燈下，寬大的床舖中央，吳哲像小孩子那樣弓僂著長長的身軀，睡得酣熟。黑髮在白皙的額上爍亮，眉頭輕鎖，眼下兩道淡青的陰翳。長長的睫毛，不時輕顫幾下；纖小的飛蛾，扇著透明的翅翼，作瀕死的掙扎。氣，霎時消了大半，身子驟然被一份強烈的感覺塞得充脹。來自心底深處的憐惜。可是，他想起那封信——莊世桓望著吳哲的睡姿，對自己說，我是要搬走的。

一連三天，莊世桓下了課就去看房子，晚上在圖書館坐到打烊，然後到同學宿舍過夜。

第四天，吳哲的班代表在校門口叫住他，交給他一篇吳哲的英文作文，他才知道吳哲三天沒來上課了。管他去死！他想。那天傍晚，他看好一個四個榻榻米的房間，交了五十塊訂金，說妥第二天搬去。

吳哲那篇作文有個奇怪的題目：An Awakening in the Toilet。莊世桓在圖書館打開書，那兩頁打字紙便飄了出來。他瞄一眼，掃到一邊，看他的書。沒看幾頁，一行行蟹文忽然輕躍起來，一扇扇睫毛顫著、顫著——管他去死！他想。但班代表說吳哲三天沒來上課——他闔上書，撿起作文。一個字也沒看進去，眼前浮現的卻是那封該死的信。信裏熱情得令人作嘔的字句拉直了他的脊骨。那封信，吳哲原可撕了、燒了——吳哲對自己的危機並非懵然無知，並非沒有掙扎，而你是唯一可以幫他的朋友……管他去死！你明天要搬了——但是，圖書館眞熱啊！他走出去透透氣。九點不到，他出去透了三次氣。踱方步，抽煙，最後一次甚至穿過大半個校園，到活動中心灌了一瓶冰牛奶。

一肚子冰涼回來，沒坐幾分鐘，又站起來，到門口的削鉛筆機，把好端端的一枝新鉛筆，削得只剩小指長。三天不上課，會上那兒去？……那封沒被燒掉的信所隱含的暗示作用，加上吳哲倚在浴室門口那張蒼白的臉，那句「我以爲你已經走了。」陡然變成一幅求救的旗幟，鮮明得叫他無法漠視——該死！他抽出鉛筆，回到座位——管他去死！橫豎我明天就搬！把椅子往前移了移，才坐定，突地又使勁把椅子往後挪，掃起書本，大步朝外走。

腳踏車一路喀啦喀啦響，下一刻就要粉身碎骨似。他不管，箭逆著風，死命踩踏板，像趕著去救火。進了巷口，拐了彎，上了小橋，整棟公寓只有他們那個房子是黑的。居然不在！果然不在！一陣失望，旋鬆了他的緊張。

三步併兩步，上樓，開鎖，亮燈。地板一層灰。洗碗槽兩隻他那天來不及洗丟下的碗。冰箱中內容如舊。被子方方正正地疊著，床單一絲不縐，海濱的平沙似。書房裏字紙簍還是飽漲的——這是吳哲最不能忍受的事情之一。那麼，他是一直不在了！證實了這點，莊世桓忽然不知還要做些什麼。他回到客廳，在搖椅坐下，又站起，把燈都熄了。回到椅子，點起一根菸。

剛點上第七根菸，門外有了動靜。他猛吸口菸——最好是兩個人，這樣我就可以撒手不管！

大門開了，一串鑰匙的叮噹；發現廳門未鎖，猶豫一下，用力旋開門；吳哲看見黑暗深處香煙頭那點灼紅，呆著，然後，啪地開了燈。

儘管心裏已有準備，莊世桓還是吃了一驚。四天不見，吳哲瘦了一環，一反平日的衣履鮮淨。衣領敞開，褲子縐得好似沒晒乾又沒燙過。頭髮無有光澤，像防空壕上的一叢野草。眉也是亂的，惟有雙眸焚亮，但也只有入門的那一剎，而後亮光便斂了。整個人猶如一座細緻的石像，無有表情，就是立著。突突然然，垮下來似，陷進一隻短沙發。蹺起右腳，低頭，脫鞋，才解了鞋帶，又放棄了。放下腳，坐在那兒，用那盲人般空滯的眼神凝視著莊。

你去了那裏？想問，沒問，不必問。莊世桓一動不動，盯住吳哲，抽菸。

隔了兩天，一個陌生的男孩上門找吳哲。莊世桓連人也未看清，直覺地認爲就是「那類人」。想告訴他吳哲不在，話到舌尖，卻變成「這兒沒這個人！」砰地關上門。

「好了！人家找上門來啦！」他怒氣沖沖衝進臥室，對吳哲嚷，想抓起他，給他一拳。而吳哲只抱著吉他，僂著長腳，縮在床角，臉上一副「你罵我一句，我就死給你看！」的表情。莊世桓嘆口氣，雙臂抱胸，在門邊的床緣重重坐下。

許久許久，他們就是那樣坐著，兩個仇人似地凝視對方，像那夜吳哲回來時一樣。彷彿開天闢地以來，他們就這麼坐著，還得永遠這樣坐下去，在這座了無生氣的房子裏，永遠。

陽光照到餐桌上，莊世桓一口飲盡杯底的咖啡；又冷又苦，放下杯子，說：

「其實也沒什麼，他只是需要人照顧。」

陶之青打鼻孔輕笑一聲，扼熄她的第四支菸。

「而你是挺會照顧人的，是吧？」

莊世桓擦了一根火柴，看那股紅中帶藍的火焰緩緩搓燃上來，燒到指尖，鬆開手，讓它掉進煙灰碟，熄去，捲成一細條黑灰。

樓下有人在炒菜，鍋鏟敲著鍋子，匡噹匡噹響。

陶之青咂咂嘴，牙床左右踱動，像菸抽多了，兩腮發痠。可是，闔了嘴，又挑起一根菸。

「暑假你不回去？」

「暫時還不回去。我現在幫一個教授的書做Index，做完了，回去一趟，再來找兩個家教做做。」

樓下一個女人大呼小叫地罵孩子，自來水沖得嘩啦啦。

「唉，我該走了。」陶之青搓死煙，站起來：「再不走，你要趕我了。讓你睡了一夜沙發，燒上兩杯咖啡，還逼你抖出秘密。哪天打電話找你出來玩好嗎？」

陶之青走到門邊，莊世桓出其不意地一把拽住她的手肘，定定望入她雙眸深處：

「妳常常這樣跟第一次見面的人回去過夜嗎？」

陶之青眼中閃過一抹笑意，坦坦然搖搖頭，接著說：

「不過，我知道你不會把我怎麼樣。」掙開莊的手，攏了攏頸後的髮：「你眼神裏有一種奇怪的東西。」

「什麼東西？」牙縫裡迸出來的聲音。

陶之青望他一眼，帶上了門。

莊世桓坐在陽臺的欄杆，俯視陶之青由公寓大門出來，跨上馬路，仰起頭，咧咧嘴，揮揮手。他向她擺擺手。陶之青攔住一部計程車，鑽進去，風揚著她的髮梢。車子翻過小橋，拐出巷口，遠了。

天空無雲，藍得要滴出油來，對門庭院內一棵大王椰，在風中舒展著綠亮的大葉，太陽晒在身上暖烘烘的——奇怪，我居然那麼莫名其妙地把這許多事情告訴了她，好像她是多年老友。更奇怪的是，我竟一點也不後悔，至少現在不。想到自己不後悔這點，莊世桓禁不住打了個寒顫。

巷子裏，一張破報紙飄飄地躍了幾下，歇下來，又被風拖著在地上走。

■

「喂，請莊世桓講話。」

「我就是。」

「嗨，是你。我是友白，朱友白，記得不？那天在明星——」

「記得記得，你好？」

「你現在有沒有空？」

「剛忙完，正準備走呢。」

「我告訴你，陶之青叫我打這個電話，找你出來玩。」

「你們在那裏？」

「圓山育樂中心。我、陶之青、劉渝苓都在，還有小范。」

「圓山？乖乖！」

「你來不來？」

「嗯——好吧。」

「你在學校吧？——這樣好了，找來接你，我騎摩托車，很快的。」

「Okay，謝謝你。我在社教館二樓。」

「好，回見。」

「嗨，你這輛車怪不錯的啊！Honda？多少錢？」

「嘸嘸，是Vespa。托人從香港帶回來的，兩萬多，劉渝苓投資一半，另一半是我自己賺的。」

「怎麼賺法？家教？還是中了獎券？」

「嘸——，賣教科書。我跟醫學院一個同學合夥，從印刷廠批翻印的教科書，一本可以淨賺三成。」

「那麼好賺嗎？」

「嗯嗯，是蠻好賺的。反正我們賣得比書店便宜得多。想想醫學院有多少人，幾乎每個人都要買的。」

「呵，不錯嘛，企業管理，學以致用的。」

「算了，長得這麼大了，總不能老向家裏伸手要錢。你知道我老爸最火我什麼嗎？氣我不再跟他要錢！」

朱友白在中山北路一盞紅燈前停下來，撥開眼鏡上墨綠的太陽鏡片，回頭對莊世桓笑笑。

一輛腥紅的跑車在他們身旁戛然停下。開車的是個老美，墨鏡蓋了半個臉，咬著一根king size的Pall Mall，面向著十字路口流來淌去的車群，對鄰座一個金髮女郎說話。不知說了句什麼，女孩子笑得前翻後仰，開車的年輕人別過頭，咬著菸，咧出一口森森白牙。

綠燈亮了，跑車搶先滑了出去。朱友白開大油門：「Damn！我們追這輛該死的野馬！」

一直到跑車拐上圓山飯店那條路，朱才捻小油門。莊世桓吁了一口氣。

「將來我一定要有一輛那樣的Mustang。」

「不少錢吧？」

「不少，在臺灣一輩子也賺不到。」

「咦，你不是三年級嗎？怎麼沒去分科？」

「我是第二批，九月才去。」

「什麼兵種？」

「通信。」

「有線無線？」

「有線。」

「那將來調到金門就慘了。他們說，就是砲戰還得冒著砲火去搶修線路。」

「怕啥？那麼多人活著回來了，我當然也能。」

「當完兵呢？出去？」

「還早呢，劉渝苓不怎麼想出去，她怕苦。」

「哦。」

「到了，我去放車子，劉渝苓在上面打保齡球，一個人，我要上去看看，陶之青在溜冰。」

莊世桓推開溜冰場的門，裏面零下的寒氣夾在「藍色多瑙河」音樂中，一古腦兒地朝他撲來，混身雞皮疙瘩刷的一下，全立正了。

茫茫寒氣裏，人影晃幢，鮮艷的衣著劃過一道道、一環環的線條，交錯往來，夜晚鬧市的霓虹，激亂繽紛。聲音最響的是幾個年輕的小子，穿著短短的襯衫，橫闖直撞，互相追逐著，跌得四腳朝天，再爬起來，跌跌撞撞惹得幾個女孩尖聲怪叫。

「呀——呵！」一個褐髮的傢伙，不要命地奔過來，快撞上莊世桓前面的欄杆時，雙腿一分，扶住欄杆，站穩了。一連幾個乾咳，咳得滿臉通紅，大口大口地喘氣，一團團白氣直爬上莊的胸口。一個轉身，又縱聲大笑。彎下身，用冰鞋刨了一大堆冰屑，拳成一球，向人最旺密的地方，擲了過去，雙腳輕輕後踢，一溜煙，混進人群。

隨著褐髮的背影望去，莊世桓看到陶之青了。

一件寬蕩蕩的大黃毛衣，長及臀部；下身一條深藍長褲，束得緊緊。臉上一個忘我的笑，扭著腰身，黑髮飛舞，左閃右躲，穿過人群。滑至空曠的地方，上身一斜，甩開長髮，飛轉起來，愈轉愈快，轉得看不出她到底在向右還是向左轉；身子緩緩騰搖上來，像條麻花那樣搓絞著。驀的，雙手往上一頂，煞住了。歇了歇，轉個身，向對面欄杆溜去。低著頭，跟欄杆邊的一個穿黑色套頭毛衣、牛仔褲的男孩說話，曲著雙臂，靠在欄杆上，整個人對莊世桓這邊望過來。莊向她揮揮手。

陶之青咧嘴一笑，一昂頭，頭髮甩到肩後，擺擺手，伸出食指指指冰地。莊世桓使勁搖頭，雙手拂了拂裸露在水色運動衫外面的雙臂。陶之青笑彎了腰，跟黑毛衣說了句話，推開欄杆，由人群中飄湧過來，長髮紙鳶般追在背後。到了跟前，稍不留神，一個踉蹌，莊趕緊伸出手攙住她。

砰！「藍色多瑙河」以及那團喧鬧的嗡嗡，被關在門後了。

「呵，眞熱啊！」陶之青伸手擋住熾烈的陽光。

「還叫熱！我幾乎凍成冰塊了！」莊世桓說，牙關打著顫。

「朱友白眞是的。也不叫你多穿件衣服來。跟我提一下包包好麼？」

莊世桓接過她那裝衣服的深紅袋子。

「無所謂，反正我不會溜，省得跌跤。」

陶之青斜睇了他一眼，笑笑。解下髮帶，銜在口中，抓了抓頭髮，再把髮帶繫上去，甩甩頭，領先走上幾個階梯。

「渝苓在打保齡球，我們去嗎？」

「算了，我也不會。」

「看來你是一竅不通了。也好，我也累了，瞧，滿頭大汗，我們到樓上喝點什麼吧。」

他們挑了一個靠邊的桌子坐下，可以俯視樓下的保齡球場，隔了一大塊厚厚的玻璃，球場山崩地裂的乒乓仍舊一清二楚地滲過來。

侍者來了，莊世桓要了橙汁，陶之青叫一杯咖啡。

「熱的，再給我一杯冰開水。」

侍者走了，陶之青別過頭來問：

「怎麼樣？還好吧？」

「什麼還好？」

「你們教授的那本書呢？你不是說在幫他做Index嗎？」

「嗨，免談了，破書一本，東抄西抄，東拼西湊，也不整理一下，不通不順，有些地方根本接不上頭，明眼人一看就知道是抄的，還是拿輔助金的書呢。我做得煩死了，如果不是爲了幾個錢，眞想建議他，別做什麼Index了。」

「省省吧，別這麼憤世嫉俗，到處都是一樣的，千古文章一大抄！」

東西送來了。陶之青拿起冰水，就著口，正要喝，又擱下，撇撇嘴，喚來侍者，要他換一杯。

「怎麼啦？」侍者雙眼睜得大大。

「怎麼啦？」陶之青板著臉：「杯子裏怎麼儘是手指印？換一杯！」

侍者去了，她對莊說：

「東西賣得這麼貴，service就該差不多一點。」

莊世桓摸摸鼻子，不知說什麼才好，啜了一口橙汁，往樓下看。一個短髮、粉紅短衫的女孩，小跑幾步，滾出球，轟隆隆，擊倒九個木球，女孩樂得跳起來拍手，轉過身來，卻是劉渝苓。

侍者送冰水來了，後邊跟著剛剛在溜冰場和陶之青說話的男孩，脫去了黑毛衣，毛巾布的紅運動衫外露出古銅色的勻長的手臂；肩著一個帆布袋，一手插在屁股後的口袋。

「我跌了一跤，手腕都碰麻了。」

「這是范綽雄，小范，莊世桓。」

范綽雄點個頭。他有一對寬闊而深凹的眼眶，眼睛清清澈澈，不大，但因爲是雙眼皮，所以，看來蠻大的。嘴唇細長而結實，笑起來卻澀澀的：

「眞該死！他媽的，那冰地就跟砂紙一樣。」

我的天！莊世桓心裏輕皺一下眉頭：吳哲才回去，怎麼又碰上一個愛訴苦的傢伙。

「放心好啦，」陶之青拍拍小范的手肘：「死不了！」

黑毛衣一屁股在莊身旁坐下，還在研究那隻磨得通紅的手掌。莊世桓看著他拖得長長的鬢腳，聞到一股熟悉的髮油香味。

「你抹的髮油是Vitalis吧？」

「嗯？」小范抬起頭：「是啊，你也用嗎？」

莊世桓努努嘴，搖搖頭，轉過身子，對陶之青說：

「妳那晚聞到的其實不是香水。」

陶之青一愣，而後恍然大悟地「哦」了一聲，會心笑起來。

小范要的檸檬水來了，他喝了一口，含在口腔，由屁股後的口袋掏出一支塑膠瓶子，倒出幾粒白色的小藥丸。

「又來了！」陶之青蹙著眉。

小范把藥丸合著水吞了，對莊世桓說：「我有敏感症。」然後，滔滔不絕地解釋，他的皮膚過敏是何時開始的，犯時多慘，混身癢，抓破皮也不管事。換了好幾種藥，都無法根治，治標不治本，醫生們也說不出原因來……

「他們說，敏感的原因多得很，有的人只是因爲魚腥，有的人是花粉。可是，說不定也因爲米或水裏什麼成份跟體質不對頭，或者根本就是空氣。我的媽！那不是不能呼吸了嗎？」

「查不出來嗎？」

「要驗血，慢慢一樣一樣試驗，常常要弄上大半年，有時根本找不出什麼名堂。我也不管了，反正活不了好久。」

「跟你說過一百次了！」陶之青插嘴道：「完全是心理作用，你少神經兮兮，什麼病也沒有……」

話未說完，背後有個低沉的聲音喊：「之青！」

三個人一齊往後看，一個中年人，大熱天，藏青西裝，寶藍領帶，披掛齊全，頭髮梳得油亮。他從不遠的一個桌子立起，走過來：「好久不見。」

莊世桓瞥見陶之青眉宇間晃過一抹奇特的神情，睫毛一落一掀：「你好，來玩保齡球？」聲音平平的，不帶任何表情。

「不，剛從陽明山下來。」一伸手，看錶，一枚袖釦亮得扎眼。「快六點了，吃飯去好嗎？」

「謝了，不方便吧。」陶之青傾著頭，對那邊桌上一個打扮入時的女人瞟一眼。

「不礙事，她就要走了，她還有事。」小心翼翼的。

「好哇，」陶之青側著身，倚在椅背上說：「可是，我還有幾個朋友的——哪，那邊又來了兩個！」

「沒關係，一道去好了——劉小姐。」

劉渝苓對那人笑笑，點個頭：

「去那裏？我說好早點回去。」看到莊世桓，探個身：「嗨，莊！我姑媽做生日，媽媽說不去不行。」

陶之青拍拍椅背說：「那我們三個人去好啦，吃過飯，我們到『野人』坐——莊世桓，你去過『野人』沒有？沒有？Good。」仰起臉：「到什麼地方吃飯呢？」

「藍天怎麼樣？」中年人微欠著上身問。

「別高級了，誰像你西裝筆挺的！」

「那——到Rose Grill吃牛排好麼？」

「算了！那裏的牛排皮鞋底一樣。」

「那麼，到諾曼底吃西餐好了。」

「上回我去，他們上牛尾湯，弄得我一個晚上不舒服，」陶之青說。

那人沉吟一下，很有耐心地說：

「這樣好了，我先去付帳，打個電話問問他們，今天主菜是什麼再說好嗎？」說著，眞的去打電話。

「陶之青，」人去遠了，莊世桓說：「這樣不好吧？」

陶之青眼觀鼻，鼻觀心，按住他的手，莊世桓覺出那隻手微微顫著。但等她抬起眼，眼裏卻什麼也沒寫。

「你管他，他高興花錢嘛。」

「這個人到底是誰？」

陶之青一眨眼——不是開玩笑的一眨，而是帶著警告意味的——低低地說：

「以後再告訴你。」眼睛一溜：「你猜他多大了？」

「四十左右。」

「怕不止吧。」陶之青吊起一個嘴角笑道：

「我認識他不久時，他問我幾歲了，我告訴他多大。他說，我出生那年，他第一次由上海到紐約。」

■

陶之青走下『野人』那幾層又窄又陡的階梯，黑暗裏立時飛出一波口哨。

「嗨，小青，今天亂漂亮的啊！」

「小青到這邊來坐！」

陶之青不慌不忙，這邊點點頭，那邊咧嘴笑笑，對個洋人說：「嗨，Joe。」走向一個只有一個藍襯衫的男孩子坐的檯子。小范跟在後面，四處拍肩、打招呼。

小小的地下室，充溢著人聲、汗味、菸臭。騰騰煙霧中，昏黃的燈光，烘托出一綹綹漆黑的、金亮的頭髮，一隻隻飛舞的手，一對對發亮的眼，一口口皓白的牙……一縷似朗誦、似呻吟，又似被壓抑了的歌，拖著微弱的吉他伴奏，滲過喧呶的笑語，曲曲扭扭地蠕出來。

莊世桓覺得那一隻隻眼睛全瞪著他，立在梯口，猶猶豫豫的，活像不諳水性的人，站在水湄，浪潮一波一波地舐著足踝，不能決定是否下水。陶之青招招手，他走過去。小范搬了一張椅子給他，硬木的椅背，叫他不由拉直了腰。朦朧的燈光、朦朧的聲浪擁著他，側身其間，才發覺並不可怕：水並不如想像那麼冷，也不會叫人沉下去……

桌子很小，一個土黃的粗瓷菸碟、一副相同質料、色調的咖啡碟、一缸白糖、一盒菸、一盞桌燈，加上陶之青的包包，擠得滿滿。桌燈的罩子，是一張薄薄的三合板捲成的圓筒，上面五六個用煙頭燒出的窟窿，還有些字，鋼筆的字跡，原子筆和蠟筆的塗鴉。莊世桓湊近了細看：「不錯，今天是七月十三日星期五，但這是我的生日，爲我祝福吧！」「Jimmy Liu & Grace C. ……July 8.」「我天天來，因爲無聊。」「P.S.：I Love You！」「喂！說大聲一點！我聽不清楚！」把燈轉一下，另一面也有字，也有焦黑焦黑的洞，有人拿紅墨水把那些洞連起來，描成一朵可愛的花。他笑了。

「唉，」陶之青拍一下他肩膀：「跟你介紹，楊培德。莊世桓，老楊。」

莊世桓沒聽清到底叫楊什麼，含含糊糊說聲：「你好！」

藍襯衫的男孩一縮脖子，算點過頭了。「抽菸吧？」抓起桌上那包菸，往陶之青一送，是一盒Rothmans。陶之青抽出兩根，一根給莊世桓，范緯雄掏出自己的菸。

老楊又摸出打火機，給他們點菸，火焰冒得老高，瓦斯氣嘶嘶地燃著。

「小心點！我給這個要命的lighter燒過三次睫毛了。」

四個人一齊呵呵笑起來。陶之青噴出一口煙，說：

「別給小范，他會告訴你，打火機沒靈氣。」

小范苦笑著擦了根火柴。

一個高瘦的侍者過來，問他們要什麼東西。

「Coke，」陶之青說：「莊世桓，你喝不喝啤酒？」

「好吧。」

「你們還是不賣蘋果西打嗎？」小范問。侍者背著手，笑笑，搖頭。

「我到外邊弄一瓶。」小范站起來：「我喜歡西打。」

侍者又問老楊還要不要什麼。藍襯衫盯住掛在麻布牆上的一幅抽象畫，含著一口煙，搖搖頭，髮角擦著衣領。侍者走了，小范在他前面，從挨挨擠擠的桌椅間、橫行霸道的腳和手間，殺出一條路。老楊坐正了，手指彈著桌面，吐出煙。煙霧聚在燈上，久久不散。

「老楊，」陶之青說：「把燈弄熄好嗎？怪刺眼的，眼油都要流出來了，也許太累了。」

一個梳大包頭，著豬肝紅衣裳的矮個子，施施然走過來。不聲不響，一屁股在小范的座位坐下。左顧右盼，大模大樣地拿了桌上的菸，在桌面扣幾下，又拿了打火機點上，蹺起二郎腿吞煙吐霧。藍襯衫和陶之青抽著菸，都不作聲，好像沒他這個人在。

老楊慢條斯理地吸兩口菸，彎下身，拔掉桌燈的插頭。

燈光熄落的剎那，莊世桓抓住了那縷歌聲。吳哲有這張唱片——Bob Dylan用一種似醒未醒、夢囈般的聲音哼唱著：

「…the times they're changin'

And mothers and fathers throughout the land;

And don't criticize what you can't understand;

Your sons and your daughters are beyond your command;

Your old road is rapidly aging……」

身在暗處，四際的光和人影，突突然然活跳起來。那些長髮，那些披頭，那些鮮豔奪目的衣衫，不住在他眼前晃過來，晃過去。光亮與陰翳潮汐於他們的顏面。他們在動，比著手，抖著腳。蹺起大腿，放下大腿。踢落靴子，長腳一伸，擱到椅上。搖頭，點頭。嘴巴一開一闔，一闔一開，像水中的魚兒。國語夾著臺語夾著英語，光華號特快車，一個車廂接一個，卡啦啦闖過去。轉換說話的對象，和改變話題同樣迅速。嗡嗡然，嗡嗡然，嘩地抖出一串笑。說話與嘩笑間，短暫的休止符，縫合了他們的嘴：抽菸、喝水、吃東西。

侍者來了，陶之青把包包丟到地板上。啤酒、可樂、杯子，以及帳單，填滿了那個空白，莊世桓往口袋掏錢。陶之青說她付，抽出一張百元大鈔給侍者。「謝謝你，」她說。

侍者接了錢，不走，說：「把燈插上了吧，弄黑了不好。」

藍襯衫倒了半杯啤酒，啜一口，呵口氣：

「馬馬虎虎，算了吧，小青眼睛痛。」

「拜託拜託，弄亮吧。」侍者說：「不然，等等警察來，看到了，又要說話。」

老楊向陶之青聳聳肩，放下杯子，彎下身，摸了半天，燈亮了。侍者一走，他又把插頭拔去。侍者找錢回來，看見了，眼睛瞪得像雷公。藍襯衫一吐舌頭，雙手一擋，做一個「我怕你」的姿勢，重新把燈打亮。

莊世桓左掏右掏，掏出一條縐巴巴的手巾，罩在燈口。

「謝謝你，莊世桓。」陶之青說，喝一口可樂，仰著臉，用拇指眼食指撐開眼皮，把隱形眼鏡弄出來，小心翼翼地放入一個小籢子，收進包包，望望莊，笑笑。

「哈！哈！哈！」靠近梯口的一個角落，爆出一團哄笑。

老楊與陶之青聽若未聞，莊世桓轉過身，是幾個美國孩子，雜著一位中國少女，圍著一個長桌，笑得前翻後仰。一個紅髮女孩，不住搥著桌子：「No, no, I can't believe it!」一聲長嘆，趴在桌上。其他的人，站起來，要走了，拉她，喊她，笑成一團。男男女女都長髮披肩。有一個還蓄了把絡腮鬍，鬚後赫然是一張紅潤光鮮的臉。有個小鬼，十二三歲的模樣，笑聲尖嫩，手上卻也刁了根菸。

紅髮少女笑夠了，站起來。五六個人絡絡繹繹往外走，一個紮了粗辮子，高顴骨的妞兒，望向他們這張檯子，哥倫布發現新大陸似的忽然大叫一聲：「Hi, Tao」

陶之青堆出一臉笑：「Hi，Judy.」

兩個人嘻嘻哈哈，右手伸得長長，隔了三尺遠，上下擺動，算握了手。粗辮子屈屈手指，說再見，跟著她那群朋友，響著一路笑，走上梯階。天哪！莊世桓一驚，有兩個女孩居然赤著腳！

「這些人怪有意思的。」莊喝了口啤酒。

「美國學校的——有意思的今天都沒來。」陶之青掠掠頭髮，點了根菸：

「有個老美，混身毛，頭髮長不說，鬍子糊了一臉，加上一副厚眼鏡，只剩個鼻子，每天晚上到這裏擺測字攤；帶一套西洋棋，坐著不吭氣，自然有人會跟他下。不會，他教你，坐到打烊才走。還有個女孩，她媽媽找不到她，打電話到這裏，鐵錯不了。她說過一句有名的話……」

「妳是說芝芝？」藍襯衫正和鄰桌一個黃頭髮的老美說話，回過頭來找菸。小范不知什麼時候回來了，倒騎著椅子，上半身掛在椅背上，右手抓著一瓶蘋果西打，口沫四濺，用破碎碎的英語，對那老美說：「……眞的，什麼感覺都沒有。連喝幾口水，就這樣沉下去，什麼感覺都沒有……」

「Yeah，我是說芝芝。」陶之青說，瞄了小范一眼：「我的天，他又在蓋那本大難不死的英雄史啦！」

「芝芝說過什麼至理名言？」

「Well——有一回，一個傢伙冒冒失失問她，幹嗎那麼喜歡泡在『野人』？她說，在這裏，她高興跟誰說話就跟誰說話。你找她說話，她高興就聊聊，不高興聊就不理你。要是還要嚕哩嚕囌，就罵得你狗血噴頭。」陶之青輕輕笑起來，慢慢地說：「芝芝還說，這就是『野人』的好處。如果在家裏，生爸爸的氣，你可不能臭罵他一頓啊！」

「我操！」藍襯衫翹起兩支椅子腿，搖搖晃晃，嘩嘩地笑了。不知怎的，莊世桓竟覺得那笑聲空空洞洞，像響在空曠的大屋子裏。

櫃台換了錄音帶，一個女高音伴著吉他，飄飄的，一陣風似，流得滿室清涼。

「嗨，Joan Baez。」陶之青拍一下桌子，左手托住下巴：「我最喜歡她了。」

門打開，漏進街上的光與噪響。門又蔭上，一個打著淡青領帶的男孩子進來，朝鄰桌的老美走來。「Hi,Joe！」

小范回到自己的椅子，那豬肝紅襯衫，立起來，和來時一般默聲不響地離去。「Joe是加州大學的dropout，現在在美軍。」小范告訴莊。

「剛剛那傢伙是誰？」

「誰曉得。」陶之青漠不關心地說。

莊世桓看著淡青領帶在Joe身旁坐下，明明是個黑髮的中國人，坐近了，卻發覺他有對藍眼珠，不由驚得咧開嘴。

「這小子是個雜種。」老楊笑著說：「他父親是外交官，娶了個洋婆子。後來他父親死了，他媽媽又給他找個洋爸爸。後來這位先生也死了，他母親帶他回來當中國人。」

「當得慣嗎？」

「天知道，」老楊聳聳肩。

陶之青冷笑一聲：

「當得慣的話也不會到這裏來了。」

「話不能這樣說，」藍襯衫徐徐吐出一口煙：「『野人』也算得上台北的一部份文化。上回Joe說的，一種sub……sub——」

「Subculture，」小范說，一邊說，一邊從一隻小玻璃瓶倒出幾粒藥。正待吞下，莊世桓問他：「又癢了？」

小范望住莊，咬咬牙，說不是，是胃藥，可是經他一提，眞的又癢起來了。

「我的媽喲，提都不許提啊？」

范綽雄搖搖頭：「一想起來都會癢的。」說著，又掏出那瓶皮膚過敏的藥。

陶之青眉毛吊得高高，正要發作，噓了一口氣，左手一晃，表示她不管了。

小范將兩種藥一把送進口裏，水都不用喝。剛吞下肚，卻又忙不迭地點了根菸。莊世桓搖搖頭。

剛剛那些美國學生坐的長桌，現在聚著幾個人。一個著深紫高領襯衫，胸前垂著一副項鍊的男孩，彈著吉他。

「這傢伙是誰？怎沒看過？」陶之青彈了彈菸灰。

「不清楚。」藍襯衫懶洋洋地說：「我也沒見過。」

「喂，老莊。」小范說：「你試過沒有？一面喝蘋果西打一面抽菸，會有一股——呃，一股很奇怪的感覺，像眩暈又不是，直沖腦門兒。很舒服的。」

莊世桓摸摸鼻尖，說沒有。小范馬上表演。

「見你的鬼！范緯雄！」陶之青叫道：「一點蘇打也能叫你發神經啊！」

「就是這樣，」小范眯著眼，沈醉在他那份「像眩暈又不是」的感覺中，一手抓牢蘋果西打的瓶頸，好像不如此，真的要昏過去；忽又睜圓了眼：「抽marijuana的滋味大概就是這樣吧？」

莊世桓低聲問老楊洗手間在那裏。老楊按熄了菸，說：「我們一道去吧。」

兩人回來時，發現陶之青在發表演說，小范聽得兩眼發直。

「……眞的。我姐姐一個同學五月回來，我問她抽過沒有。她說沒啥了不起，根本不是那麼回事，跟香菸差不多，抽不出什麼特特別別的味道來……」

「什麼東西啊？」老楊按亮了打火機，點上一根菸，也給莊一根。

「Marijuana。」

「怎麼會跟普通香菸一樣呢？」

「因爲她是中國人！」

「這又是什麼話？」莊世桓皺皺眉，啜口啤酒，又斟滿一杯。

「Well——你抽的時候，」陶之青一聳肩，一縮脖子，現身說法；煞有其事地用拇指和食指捏著僅剩一點點的煙頭，貪婪地猛吸一口：「你抽的時候，就拼命想，好了，我在抽marijuana，然後，你就不住在expect什麼事情要發生，」她閉起眼，聚精會神的模樣：「是不是那條筋會抽一下？頭是不是還清清醒醒的？——Oh, my God，我可是在抽marijuana哪！」

小范神經質地嘿嘿笑起來，陶之青緩緩地，緩緩地放下雙手，一拍膝蓋，睜亮了眼睛：「就是這樣！這種東西，你愈serious，就愈是什麼效果也鬧不出來。你一面做，就一面覺得自己在做不該做的事——太在乎了！我們中國人一輩子也沒有法子完完全全放開自己。五千年文化，一塊大石頭似的壓在你背上。有好多好多的bondage把你綑得透不過氣來。」

「老美也一樣有許多bondage。」

「他們沒有我們歷史悠久，沒有五千年文化。」

「事情慢慢會改變的，」老楊說：「Maybe next generation……」

「Allright，」陶之青喊：「爲next generation乾杯！」

莊世桓跟他們嘻嘻哈哈地高舉杯子：乾杯！——怎麼是甜的？一眼看見陶之青正用手背抹去唇角的白沫，才曉得她拿了他的啤酒。陶之青放下杯子，突然驚天動地地嗆咳起來，連淚水都嗆出來了。老楊站起來，一揚手，拇指搓著中指，「噠」地一聲招來侍者。「再來一瓶啤酒！」

圍著吉他而坐的那幾個人，輕輕地哼著，吹著口哨，唱一首叫作「Michael」的歌，唱到一句「Hallelijah」的地方，聲音又響又高，像在唱軍歌。愈唱愈起勁。漸漸地，整個地下室的人，也都受到了感染，此起彼落地唱起來了。

有人喊：「關掉錄音帶！」

「Turn off! Turn off!」一個濃濃的鼻音嚷。

Joan Baez正哀哀淒淒地唱到：

「If I had listened to what my mother said;

I'd been at home today……」突然「啊」了一聲，啞了。

一盞盞桌燈將濛濛煙霧染得暈黃。紫運動衫抱著吉他，在長桌坐下。低下頭，輕描淡寫地撥幾下，一份淡淡的愁便由那弦音中滴落出來。男孩挺直了脖子，一綹豐盛的黑髮直披眉梢：他挑著兩根修長的手指撥開，望住眼前的一團煙，一個字，一個字，慢慢唱出：

「If you miss the train I'm on;

You'll know that I've gone;

You'll hear the whistle a hundred miles.」

煙，蓬蓬蒸騰，整個地下室一片悄靜，幾乎可以聽到菸灰落地的聲音；惟有男孩略微沙啞的低嗓，綴著吉他的叮噹流洩著。

聽著錚錚琴音，莊世桓想，這傢伙段數不及吳哲。但他有股蠻不在意的勁兒，那是吳哲沒有的。什麼曲子，經了吳哲的手彈出，都會化爲鬱悶的調子，彷彿他有受了魔法詛咒的十指，能把金的、銀的、一切發亮的東西，一下子點成銹黯枯灰──幹嘛又想起吳哲呢？好容易他回家去了！可是，天曉得，吳哲在高雄又變得什麼樣子？

別自尋煩惱了！莊世桓猛吸兩口菸，將滿腹抑鬱和著煙，一道吐出。放眼看去，每個桌子一盞燈，浮在幽黯中，像一顆顆星。燈光把那些人的臉孔映得輪廓分明。那一張張臉，靜靜的臉，那麼虔誠，那麼天眞，那麼善良──天啊，我眞喜歡這群人！莊世桓想：我眞想過去擁抱他們，跟他們聊，聽他們述說他們的生活，他們的夢，讓他們告訴我快樂的秘方。

紫衫男孩換了一首輕快活潑的熱門歌曲，離了桌子，走到人群間，手指彈躍，頭髮飛舞。一個女孩子站在走道上，蛇樣地扭起來。有人用鼻音、口哨應和著。慢慢地，幾乎每個人都隨著拍手、頓足、晃著頭、敲桌子地唱了起來。陶之青與老楊大聲唱，小范低低地哼。一曲接一曲，溪水般淌下去。氣氛又熾烈起來了，宛如一壺沸騰的開水，引吭高鳴，歡愉的泡泡一個趕一個，爭先恐後往上冒。

那些歌，莊世桓大部份沒聽過。聽過的幾首，也不會唱，他好像一下啞了，只能坐著抽悶菸。偶然轉身，瞥見鄰桌的Joe。竟也是個啞子：聽得半咧嘴，指間的菸裊裊燒著，掛了老長的一截灰。Joe一偏頭，看到莊，四目相接，兩人交換一個會心的苦笑，菸灰噗噗落了一襟。眼光往下溜，莊世桓看見Joe的牛仔褲褲管撕開了，流著鬚鬚纖維，露出半截毛茸茸的小腿，腳上套了一雙棕色的絨布便鞋。

就在那雙靴邊，一隻可樂的空瓶，身上爍著一方模糊的光，立得筆直，黑影覆在四週。Joe蹺起腿，一道陰影蓋過了瓶子，歌聲逐漸亂了……Joe抖著腿，瓶影忽隱忽現……歌聲每況愈下，炒栗子似……莊世桓睜睜望著陶之青和老楊和小范和每一張紅漲、流汗、曲扭變形的、陌生的臉譜。頭，烙烙地疼起來，耳朵燒熱，太陽穴泊泊跳著。還有那些煙！氤氳氳氳的，薰得眼睛發痠，薰得直叫人窒息！他瞧了瞧才吸幾口的菸，搓熄了。呑呑口水，才知道喉嚨也在造反——菸抽多了……莊世桓靠在椅背上，搭下眼皮，心底暗暗一聲呻吟——怎麼回事？這些奔放的熱情全沒我的份？是因爲我原就不屬於他們，不屬於這地方？還是——還是因爲吳哲？吳哲使我和這一切脫了節？他睜眼，絞著眉，空茫地望著那些混淆的人影和桌底下忽隱忽現的瓶影——Joe放下了腿。那隻瓶子，突突然然由黑地裏躍出，不動聲色，拿那死魚眼珠般的光芒，冷冰冰地瞪著他……

許久許久，他們就是那樣怔坐著，兩個仇人似地凝視著對方。彷彿開天闢地以來，他們就這麼坐著，還得永遠這樣坐下去，在這座了無生氣的房子裏……

那座房子，那座與吳哲同住的房子，正像一個透明繭，一層厚膜隔絕了外界的聲與光。吳哲似乎心滿意足地甘願自囚也被囚，甚至答應了睡覺時熄去燈火；只要知道他在，仍在一個房子裏與他一同呼吸。而他卻要時時擔一百萬個心，不知吳哲何時要打開大門淪入門外的無底深淵……

——憑什麼？莊世桓！憑什麼你要背負這個沉重的十字架？憑什麼啊！

「啊——」陶之青吁了一口氣，慵懶地靠在牆上，沒緣沒故，咳起來，咳得滿臉通紅。好容易止了，又打個呵欠。按住額角，衝著莊笑笑：「好累呵，我們走了好嗎？」拿起杯子，仰著脖子，一飲而盡。彎下身，拾起包包，長髮淌了半張桌子。莊世桓站起來。

「幹嘛那麼快走？」老楊說：「幫我喝完這瓶啤酒再走嘛。」

「不了。」陶之青站了起來，拂拂襯衫下襬：「今天累得夠瞧的！」

櫃台又在放錄音帶了。一隊人馬加小鼓加電吉他，又哭又嚷，喧天價響。地下室的煙霧濃了一層，有人在叫，把冷氣機開大點。嗡嗡聲中，一個拔尖女高音喊：「Hell, no!」一個寬嗓門的男聲哇哇地說：「不蓋！不蓋！連汽缸都換，七千五！真的不蓋你！」冷氣機邊的桌子，一對男女，隔著檯燈，喃喃低語——一個黑人走進來，Joe對他說：「You miss a whole concert!」又說，這些孩子會唱的熱門歌曲比我們來得多多。

小范坐著不動，眼睛死死盯住牆上那幅慘綠攙淤紅的抽象畫。

「走啊，你發什麼呆？」陶之青說：「再不走，等等姨媽又要打電話問我要人了！」

小范不情不願地掃清他的瓶瓶罐罐，站起來：

「我是在看那張畫，在想……」

「想！你老是想！」陶之青蠻橫地剪斷他的話：「你的毛病就是想得太多！誰要你想？人家只要你讀書。小學惡性補習是爲了考初中，唸中學是爲升大學……誰要你想來著？」

「唉唉，」老楊扯住陶之青的衣衫，半笑不笑：「唸了大學以後呢？」

「唸了大學以後？」陶之青想一下，挑著左肩說：「到『野人』！」撥開老楊的手，隨便地對Joe說聲「Byebye」，向梯口走了去。

梯口邊有個披頭的男孩在爲一位戴眼鏡的女孩畫速寫，看到陶之青，笑笑，點頭。

「吳郭魚的朋友。」陶之青走上階梯，對莊說：「吳郭魚在這裏抓著我，一定要讓他畫肖像，六號的。我的天，一坐半天，動都不許動，我去了一次，不幹了……」

「喂！莊！」老楊喊。

莊世桓回去，老楊蹺著腿，雙手插在口袋，仰著身，吸菸，看都不看他一眼；下巴一翹，點了點燈上的手帕，莊拿了手帕，說聲謝謝，出了『野人』，在外面廊下趕上陶之青與小范。小范在買菸。

「三塊。」小范說，香煙攤的老頭給了他六根長壽。

走著走著，陶之青想起什麼似地對莊說：

「朱友白跟劉渝苓下禮拜到彰化看渝苓外婆，我們一道去。去溪頭玩，也許還去日月潭。你去不？——你去過溪頭嗎？他們說亂棒的一個地方。」

去年寒假，莊世桓和幾個森林系的同學在溪頭過了兩夜。他望著西門町擠眉弄眼的霓虹，橫闖直撞的汽車，翻滾的人頭；剎那間溪頭的白霧，霧中的樹綠，還有那幢充滿童話色彩的小紅屋，猛然兜上心來……

「唉，我問你去過溪頭嗎？」

「去過——當然我和你們一道去！」

「眞的好玩嗎？他們說很冷的。有沒有阿里山冷？」

他們穿過馬路，隨著人潮走上陸橋。莊世桓把溪頭說得天花亂墜。爬完那幾層階梯，他發覺陶之青有些心不在焉。

「妳在聽我的嗎？」

「你聽，」陶之青抓住他胳膊，眼睛陡然燁亮起來，興奮得聲音微顫：「有一隻蟬在叫，我聽到了。你聽！」

「什麼？」

「蟬！會叫的蟬！從泥巴裏爬出來的蟬！」

莊世桓豎起耳朵，聽了半天，只聽得沸沸人聲、車聲、喇叭聲，以及由中華商場唱片行騰起的噪響。夜空被霓虹染得白慘慘、紅毒毒、綠森森──他搖搖頭。

陶之青眼裏的光一下子熄了。「也許我聽錯了，」她說，放開莊的手。

小范嗅著衣領，蹙著眉說：「每次從『野人』出來，總搞得一身烏煙瘴氣。」

「但是，你下次還會去！」陶之青重重地點一下頭，率先向前走去。

走了幾步，莊世桓失聲叫道：

「我聽見了！」

陶之青旋過身，淡淡一個笑，眼光化成一團朦朧。夏夜的和風輕拂著她的髮。

「聽見什麼？」小范問。

「蟬！」

「西門町不會有蟬的。」

陶之青一甩頭，低緩地說：

「你一輩子也聽不到。因為你還沒認眞去聽，就先肯定了西門町沒有蟬。你一輩子也聽不到。」

莊世桓對他們的話充耳未聞。

那縷蟬歌，夏夜草際螢光一樣的飄忽。遼遠而切近，陌生而熟悉，那麼纖弱，又那麼清晰。在夜西門的喧囂中，猶如一條細細的蠶絲，發著微渺的幽光，徐緩而堅韌地，由一團亂線中抽出，愈抽愈長，在空間纏纏綿綿，迴繞不休，像一隻小提琴的絃音，扶搖直上，超凌了整個交響樂隊的聲浪，徘徊在一段慢板上，哆嗦，戰慄著……

初聆時，有點兒凄冷，細聽後，卻覺得那飄帶似的音流，其實是從某個蓊鬱的森林，婉婉蜒蜒，滲過石隙，漫過落葉，浸過青草，為你遠路奔馳而來的一道清泉，汩汩冷冷地淌過你的心房……

一陣冷顫沿著背脊直流而下，在人潮洶湧的陸橋上，莊世桓怔怔立著，驟然被一份從未有過的欣奮與幸福之感淹沒了。

蟬

（下部）

「There's a fog upon L.A.

And my friends have lost their way

We'll be over soon they said

Now they've lost themselves instead.

Please don't be long please don't you be very long

Please don't be long……」

「劉渝苓，妳唸什麼經啊？」

「Beatles的歌，Blue Jay Way，你沒聽過嗎？」

「披頭？不像！和尚唸經一樣，我以爲他們只會吵吵鬧鬧。」

「以前我也不喜歡他們，可是他們最近的歌很耐聽的，裏頭有好多東西。」

「什麼東西？」

「生命、生活，天知道——他們中了印度音樂好深的毒，有的評論家說他們是貝多芬以來最偉大的天才——老實說，我是不太想這些的，可是聽到他們一些歌，就覺得人家爲什麼會有那樣深刻的感受，而你沒有。就是有，也說不來，等人家替你唱出來，我就感動得想哭。好沒道理！」搖搖頭，嚼嚼口香糖，又低唱起來。

「There's a fog upon L.A.——莊世桓，溪頭老是有這麼多霧嗎？」

大氣中飽含著青草、腐木和秋郊的清冷，濕意。日光掙扎著穿過林梢的霧，在綠幽幽的池上，折出幾紋波光，網住水面點點葉黃。

莊世桓枕著胳膊，躺在涼亭的石椅上，雙足交叉高高頂蹬著石柱，懶懶地說：「大概是吧。」一個字一團輕煙，心頭充滿了無端端的愉悅。

「Please don't be long please don't you be very long……哎，他們還有一支歌叫作：A Day in the Life，好有意思，我背給你聽：

……Woke up, fell out of bed,
Dragged a comb across my head
Found my way downstairs and drank a cup,
And looking up I noticed I was late.
Found my coat and grabbed my hat
Made the bus in second flat
Found my way upstairs and had a smoke,
……」

莊呵呵笑了，頭一溜，衝著劉渝苓沒頭沒腦地說：

「溫柔之必要

肯定之必要
一點點酒和木樨花之必要
正正經經看一名女子走過之必要……」話語如泉，淙淙淙淙淌下去：
「散步之必要
溜狗之必要
薄荷茶之必要
……
……晚報之必要
穿法蘭絨長褲之必要
馬票之必要姑母遺產繼承之必要
陽臺、海、微笑之必要
懶洋洋之必要

而被視為一條河總得繼續流下去的
世界老這樣總這樣——
觀音在遠遠的山上

罌粟在罌粟的田裏」

劉渝苓雙眼發直，嚷嚷起來：

「你搞什麼鬼？莊世桓，你自己才在唸經！什麼觀音菩薩！」

「妳讀不讀現代詩有？——」莊世桓笑笑：「沒什麼——妳說吧，妳怎麼發現披頭的天才？」

「嗯——我一直就不喜歡國語歌曲，莊，你知不知道？每次坐零南，在唱片行停下，那些什麼苦酒滿杯、藍色的夢啊，我總覺得好像一車子學生，像毛毛蟲那樣，都坐立不安，恨不得車子馬上開走。呃，有一回在party裏跳soul，我說那音樂好怪，怪得亂好聽的，一看唱片，哎唷，是Beatles！我就去買了一大堆，愈聽愈起勁，朱友白說我一定瘋了。」

劉渝苓吁口氣，機關槍繼續掃下去：

「可是，好奇怪，人說變就變，變得好不一樣。我是說Beatles，你知道，他們總是叫呀吼的，一副苦悶象徵的派頭，叛逆得不得了。可是最近那首Revolution No.1卻說，When you talk about destruction, don't you know that you can count me out. 大概是長大了，成熟了，還是錢賺夠了，闊了，擔心人家去革他們的命——噗！我又在嚼舌了，陶之青老是說，我這個人沒有大腦，又喜歡演講。可是，我不知道沒有大腦有什麼不好？你知道陶之青……」

「妳眞的不去看神木嗎？要是妳想去，現在去還可以趕上他們的。」

「不幹了！坐了兩天車，又一路顚上山……神木還不就是那個樣子，一棵胖得沒道理的大樹，再不就是一堆爛樹樁，不會有什麼看頭的——我跟你說，莊世桓，你罵我好管閒事也好，可是我一定要跟你說，莊世桓啊，你一定要對陶之青好一點。」

莊世桓兩隻腿，疊過來疊過去，怎麼擺也擺得不稱心，索性縮回來，盪到地上，坐直了，摸摸鼻尖。

「還有口香糖沒？」

劉渝苓嚼呀嚼，搖搖頭：

「沒啦，這是最後一片，全叫小范搶走了，巧克力要不要？不要拉倒——我跟你說眞個的，陶之青向來對男孩子搭得不像樣，對你好像很特別。莊世桓啊……」

莊立起來，望向亭外。一隻灰白削瘦的鳥驚鴻一瞥地掠水而過。一道竹橋像伸懶腰的貓弓在池上。橋上一對夫婦正爲兒子拍照。

一手扶著石柱，拇指撫搓鼻樑，他說：

「我問妳，那個姓嚴的到底什麼人？」

「那個姓嚴的——哦哦哦，你是說上回在圓山碰到，請你們去吃飯的那個？那天你們吃得怎麼樣？上牛尾湯沒有？」

莊世桓偏過頭，瞪她一眼。

「沒有，不過也差不多，上牛舌。陶之青吃了兩塊就撤下去。那個姓嚴的，吃了多久飯就說了多少話，一根菸斗始終不離手。陶之青一有機會就損他兩句——我問陶之青他到底是誰，她只說在殯儀館認識的。」

劉渝苓格格大笑，搖頭、頓足，口香糖跳了出來，一腳踩得扁扁。笑夠了，倚著柱子，直抓頭髮，傾頭笑道：

「是在殯儀館認識的啊！老嚴是陶之青表姑在美國的明友。去年春天，她表姑死了，老嚴也去，就這樣遇到了。出了殯儀館，他硬要送我們，這一送就送出毛病來了……我跟陶之青說斷了舌頭，這種middle age的啊——」劉渝苓皺著鼻子直擺手。

「可是，那種時候，人家什麼話也聽不入耳的……我想她一定受了不少折磨。」渝苓一揚眉：「你不知道，陶之青從前看到朱友白抽菸，都要訓人的！」

一枚緒紅的枯葉迴迴蕩蕩飄進水裏。

「霧來了！」莊世桓說。

一縷濃霧，從山谷滃然昇騰，揉著綠池的水氣，將整個林子白成土耳其浴室，可又涼沁沁的。

兩步遠的劉渝苓僅剩一頭黑髮。浸在那片綠影幢幢的蒸白，莊點起一根菸，抽了一口，任它燒著……

「所以，我說，」劉渝苓一本正經：「莊世桓，你一定要好好待她！」

霧氣糊貼身際，依稀有個人伸手按著他，抱住他，若有似無，卻由不得他動彈……一個透明的繭——好好待她？爲什麼不？……只怕根本不是這回事。還不是因爲吳哲……就和我對吳哲一樣……憐憫——他吸口菸，吞下肚；濁煙牽著一絲苦笑，由口鼻逸出。

「做做好事，莊世桓，」劉渝苓的臉浮出來了。「幫我吃幾顆巧克力，不然我一定管不住自己，一下子吃光光，回了台北又要diet。」

「Diet？妳不胖啊！」

「有人的標準可沒你這麼寬宏大量。」走過來，塞了一把巧克力給莊。

莊世桓扔了菸，笑道：

「朱友白那麼苛嗎？」

「哈，他苛？」微微一笑：「暴君一個！跟他這個人在一起，就是這樣，」劉渝苓平著手，往橫裏一切：「平平的！沒高低起伏，不過，不管怎麼樣，兩個人總比一個人強。」

「那當然。」

格吱格吱，那對夫婦和小男孩走下竹橋。

「媽媽，是不是要下雨啦？」

「小傻瓜，」男人帶著笑：「是霧。」

有人跑動起來，地上的積葉碴碴碎了。

「不要跑！」女人說：「怎麼這樣不可愛？我說慢慢走！待會兒看你跌倒，又要哭得掉了魂！」

「你們將來打算生幾個孩子？」

「莊世桓啊，」劉渝苓笑著白他一眼：「你怎麼搞的啊？」

「不生啊？」

「哎哎，你這個人！當然要生的，又不是陶之青。她賭過咒，說她要是養小孩她不是人！生幾個？誰想得那麼遠？十年後再問吧！」

「友白說妳不想出去。」莊世桓將巧克力的銀紙片，揉成紮實的一球，用中指彈開。

「他名堂多得很哪。我說不出去，照樣可以活下去。他說這樣太不甘心了，唸書還在其次。不出去，苦苦地做，十年二十年也不一定爬得上去，如果你出去晃一趟，至多五年，喝了洋水回來，至少有個小主管當。而且，」劉渝苓把一粒巧克力丟進嘴，瞟了莊一眼。

「你知道嗎？他最大的夢，就是要買部Mustang。那個人啊，只想呑象。有時氣起來想跟他吵一架，也吵不開；一個銅板響不起來。可是，有一天，我們算了一下，要是留在國內，兩個人都做事，大不了一個月五六千，又要吃又要住，到頭來去西門町看場電影、吃頓館子都是奢侈。」聳聳肩，晃晃頭：「隨他去吧！反正要洗盤子也輪不到我。哎，你自己準備做什麼呢？莊世桓。」

「我？活啊！——要是我有了錢，也不敢買Mustang。我一定開得飛快，一定一天出三次事，運氣好一點的話，挨到第三次就魂歸離恨天！」

「哎，」劉渝苓顰笑道：「人家跟你說正經的嘛。」

莊世桓望住漸次淪入綠池的霧，帶著一個不自覺的笑。

「要是我有了錢，一定請大家到溪頭玩，蓋個音樂廳給大家聽華格納。」

劉渝苓撿了塊石頭，在手上拋玩著，等莊說完話，順手一扔，丟進水裏，「噗通」一聲，算是句號，漣漪推擁著浮葉，一起一落……

「莊——世——桓！劉——渝——苓！」

劉渝苓站直了：「是小范！怎麼這會兒就回來？」搶先出了亭子，奔上竹橋：「來啦！」

莊世桓過了橋，只見小范紅夾克領口大開，推在髮上的太陽眼鏡倒屹立不動，上氣不接下氣地喘。

「陶之青不舒服，要渝苓陪她回招待所。」

「別大驚小怪的，范綽雄。死不了！」陶之青由朱友白陪著，打路口拐上來；嘴巴雖硬，卻一屁股在大樹的糾根上坐下。

「怎麼啦？」劉渝苓摸摸陶的額角。「沒發燒啊。」

「頭好疼，太累了，」咳嗆起來：「妳陪我下去好嗎？」

「我們陪妳下去吧，」莊世桓說。

「沒什麼了不得，渝苓陪我就行了，躺一會就會好。」陶之青憔悴一笑。

「你們去玩你們的吧，不然回頭又要怪我叫你們來一趟溪頭什麼也沒看……」

「妳要不要幾粒aspirin？」小范熱心勃勃的。

「免了免了，」陶之青揮揮手，立起來：「我不來你那套！渝苓，我們走吧。」

兩個女孩走遠了。朱無聲地吹著口哨，小范把眼鏡推上拉下。莊世桓雙手插在褲袋，踢踢地上潤濕的枯葉，忽然抬頭說：

「你們去不去？我知道有一條河……」

■

赤黑的小徑無止無盡伸延著。路上蔭出斑駁不平的石塊，石上爬著青苔，苔旁蔓開帶露的草，不時有汩汩水流不動聲色地淌過草際，每個步子踩下去全是涼的——一種令人突然驚起的涼。

道旁是單調的針葉林。輕煙繞指柔地纏著枝椏，樹梢有暗晦的光流緩緩游動。回盼來時路只是渺渺一片灰青，而身旁只是樹，樹外是樹、樹、樹、樹外是樹……

沒有風，沒有蟲鳴，荒草樹葉擦身，綿延過陣陣沙沙。一隻鳥，在黝黑深處，用那使人心寒的低嗓，啞啞哭著：「啊哦——啊哦——」……薄霧爬上來，霧中浮游著點點淺紫小花；而路常隱在林後，柳暗花明婉然一現時，又是無涯的茫茫……

「差不多了沒？老莊，我們已經走半個鐘頭了。」

「啊哦——啊哦——」朱友白學鳥叫。

「快了快了。」

喘息停步的悸動中，一縷細微的聲響幽然湧冒；水在重林之後，以無形的步子踱著；輕巧的跫音琤琤敲上小徑，蠱誘路人。

「呀——呵！」小范高呼一聲，揮舞著大紅夾克狂奔而下……樹群一列列朝後飛逝……終於，一個拐彎後，那條河以雄壯的歌震撼著山際！

雲白的湍沫馳走於碩大如屋的岩石間。

岩塊堆列到不可目及的上游、下游。而那水，猶如飛騰的、抓不住的白色石粒，沉重地翻滾墜落，互相掩擊，唱出嘹亮動人的歌，在石隙彎道淼泄；而後緩下來，緩緩釀出一帶藍、一帶綠，將岩洼染得好清好靜，凝出氤氳寒氣。

「下去洗個澡怎麼樣？」朱友白豎直拇指，頂頂莊的腰。

「有何不可？」

「挑你！挑你！」

「找一汪大點的死水，說不定可以游泳。」

「游個屁！」小范說：「凍死你！」

「沒種的不要來！」朱友白叫道，搶先爬上一塊大石。

上上下下，擦了一身苔青，三人在一方乾燥的平岩站穩。隔了那堵巨岩，水勢頓挫，白沫鑲邊，離出洼底的灰石、灰石裂縫碧綠的絨苔。岸旁的青草和羊齒植物，濺著水珠舞顫不休；一棵枯樹哈著蒼褐身軀，伸無數骨瘦嶙嶙的臂，倒插入水……

「可以了！」莊世桓說。

「嗨，眞的下去嗎？」朱友白搓著手。

「不是我提議的。」說著，動手脫掉深藍套頭毛衣，彎下腰解靴帶。

朱友白東張西望，發現除了樹和水和石堆，四周闃無人跡：「Damn！看老子出浴！」七手八腳剝得赤條條，把眼鏡擱在衣服上，雙手支著岩石邊緣，單足點水：活像遭火燙著了，立時縮回來。

「娘哦！零下一百度！」

小范赤足蹲踞，垂著眼皮，盯住冒煙的水，戚戚地說：「會染上風濕的。」

「沒有人拿槍逼你！」朱友白一撐手，像顆炸彈轟入水裏，水珠隨著悽慘絕倫的尖叫，飛上石塊，濕了衣裳。

「呀呵！」朱友白在水中亂蹦亂跳，抖出一池白泡。「小范呃！小范，快下來，舒服得要命！」

莊世桓翻翻眼，搖搖頭：「范綽雄，別理他，要是你不想下去……」

「當然我要下！」小范匆匆忙忙褪下長褲……

莊世桓扔掉內衣褲，溜進水裏，足踝觸水的剎那，一份份刺寒打從腳尖，如同插入沸水的溫度計的水銀，浡地沖上腦門兒；整個人不由機伶伶打個顫，髓柱涼麻麻的……歇了一下，他咬住牙，屏息止氣，僵著全身肌肉，慢慢浸入水底；水漲上胸口時，依依稀稀聽得一聲「淒——」莊世桓再也管不住自己的牙關了……

小范赤身裸體站著發愣，忽地旋過身，背對水面兩張發白轉青的臉孔；雙手筒著嘴巴，仰天長嘯：「啊——」

「別驢了，姓范的，」朱友白抖抖擻擻地說。

小范照吼不誤。

「啊啊啊——」激動得踮起腳尖，髮梢抖顫；一口氣喘不過來，叭地曲膝坐下，頭埋在膝蓋上……半晌，驀然甩過上身，甩得那麼猛，一綹黑髮甩到眉心：豎著食指叫道：「聽！聽！聽！」

湯湯泠泠水聲中，一絲清渺的回音，迴游而過……小范凝著那個坐姿，笑得眼珠發亮。

「瞧你！樂得像條狗！」朱友白笑道。「快下來！光屁股坐在上面，鐵會著涼的！」

話剛說完，小范馬上「哈啾！哈啾！」連打兩個噴嚏。朱友白嘩嘩笑了。

一大塊白糊糊的霧，由枯枝交攘的空間，崩然墜墮，入水的墨汁似地，一絲絲，一條條垂幔而下……水潺潺地流……林間深處，那隻鳥泣著：「啊哦！啊哦！」……枕在岩凹上，莊世桓微笑地閉闔雙眼，放鬆肌肉，讓每一針冷鑽進體內；一輪紅日在他心底冉冉昇起……

——讓我化成水……水……無形無體，無有負擔的水，這樣年輕永遠年輕的水……

■

「不來了！」

「眞惡劣啊！又要賴皮啦？」劉渝苓的嘴撇得厲害：「陶之青！妳牌品之破啊……」

「便宜妳還不好？」陶之青將牌覆在榻榻米上，雙腳一蹬，滑到壁角，甩甩頭，長髮甩到肩上：「妳再輸下去，牛肉乾一片也別想剩！」

「嘖嘖嘖，好大的口氣！」劉渝苓嚼著滿口牛肉乾，手上一副牌又扇又點。

朱友白把牌擱在大腿上，抓起煙盒，抖出一支：「老莊！」

「謝謝。我也有，現在不抽。」

小范傾過身，支著手肘，掀開陶的牌，抬眼望住劉渝苓發笑。

「壞牌，對不對？陶之青啊……」劉渝苓的尖嗓與晶體收音機裏的搖滾樂齊鳴。

小范搖搖頭，咳兩下，高聲宣佈：「三個皮蛋，兩個大十。」

劉渝苓把牌一摔，整個人趴到榻榻米上，對著那五張牌研究半天；坐直起來，短髮一揚，掃掉貼在肘上的瓜子殼，叫道：

「踐什麼嘛？拆濫污拆到家！手氣壞不玩，拿了好牌也不來。這不是欺負人嗎？」

陶之青靠著牆，笑吟吟的。

「沒意思嘛，再說，我是眞的累了。」擠皺著眼眉晃晃頭，伸手掩住一個呵欠：「早點睡吧，明天你們還要到彰化。」低下頭，一手撐開眼皮，一手托在下巴，接住隱形眼鏡。

「別理她，莊世桓，你頂她的缺，我們再來！」

「我說了，我不會玩梭哈。」

「那你會什麼？」

莊世桓想了想，說：「我只會接龍。」

「好，那就玩接龍。來，小范，牌交過來。還有你，朱友白……」

劉渝苓正把牌洗得刷刷響，電燈忽然熄了。

「哇——，全是陶之青搗的鬼！」

「我去問他們拿蠟燭，」莊世桓站起來，不防黑裏卻伸出一隻手，扯扯他褲管。

「莊，」陶之青輕輕地說：「你坐下來，我隱形眼鏡掉了。」

「掉了活該！」劉渝苓哈笑一聲：「什麼？隱形眼鏡？朱友白，快點去找一隻手電筒！陶之青……」

「少希區考克了，渝苓。你們別亂跑就行，等等燈亮再找。」陶之青鬆開莊的褲管。

莊世桓貼壁坐下，剛坐定，一大幅柔髮漫上他肩膀……右臂夾在兩人之間，怪彆扭的，索性伸出去；伸得太遠，碰到小范的耳朵；往回挪點，摟住陶之青的肩；好削瘦的肩膀呵！……臉頰依偎著清涼的髮流，彷彷彿彿，又回到了下午那泓清淺；浸在水中，混身凍冽冷澀，心房卻充漾著融融暖意……

「現在報告新聞，」收音機裏一個女人不慌不忙地說：「西貢消息，美駐越南空軍今晨發動拂曉攻擊，轟炸河內以南三十英哩的……」

「關掉好嗎？渝苓，」陶之青說：「拜託拜託。」

「聽聽新聞嘛。」

「關掉吧，」朱友白說。

那個女人突然揚高了聲音說毀了幾座橋，又壓低嗓門說炸了幾個倉庫，「噠」地一聲，不吭氣了。

「你們要不要白話梅？野莩薺的，還不錯！」

「野莩薺到底給了妳多少錢？」朱友白不耐煩地說：「要妳由台北一路推銷下來？」

「你們都愈來愈不對勁了！」劉渝苓叫道。

陶之青沉緩地轉著頭，低聲說：「我的天，好累好累哦！」

右臂感覺得她一起一落的呼吸，髮絲搔著他的頸窩，莊世桓放柔了聲音問：

「妳眞的掉了眼鏡嗎？」

「啪！」小范擦了根火柴。

「Don't smoke，范綽雄！」陶之青一動不動，字字卻斬釘截鐵：「You're already coughing！」

小范立起來，走到窗口。

「是不是下雨了？」朱友白問：「我聽到聲音。」

「不可以下雨的，」劉渝苓說：「不然他們明天上日月潭會多沒意思。」

小范不語，卡啦啦推開毛玻璃窗，月光夾著霧氣飄湧而入，將他的顏容沐出一層青暈。

小范又擦亮火柴，點活了菸；火光烘紅眼鼻時，莊世桓瞥見他眼下的肌肉怪異地痙攣著。

「下你的鬼雨啊！」劉渝苓笑道：「朱友白！」

陶之青和小范一前一後，響亮地打個噴嚏。

「可是我明明聽到了雨聲。」

那聲響，很輕、很細，每個音都搗得清脆，在靜靜的夜黑裏，隨著月光濺到窗口。

「那不是雨，」陶之青細聲說：「一隻蟲在叫。」

不是蟲，不是雨，莊世桓左手覆著口鼻，中指輕輕拂挲鼻樑，心胸舖展著一方好平好平的陽光……

那是我的河，隔著重林夜霧，用一種你懂我懂的密語召喚著我……

■

潭水浸在夜雨中，一大塊黑綢子似的：倒也不是單單調調的黑，遠山近樹，影影幢幢；綢布四角有人扯著，不時抽抖幾下，折出深一塊淺一塊的黑亮光澤。扶著陽台的欄杆，探身望去，黑綢張得平平勻勻，叫人覺得跳下去也死不了……

「莊！」

正想著跳下去也不會死，但經人這麼一喊，還是吃了一驚——莊世桓震一下，掉過身。

「要不要過來？還有幾塊太陽餅，我們泡壺茶，把它解決了。」

陶之青站在鄰室的陽台上，背著光，長髮披肩，雙手抱胸，一件白底藍花的袍子，兜著微風，搖搖蕩蕩，一波未平，一波又起……

不知怎的，莊世桓覺得肩後那汪黑水竟涼陰陰地洶漲起來。半天，才說：

「好，我去喊小范。」

小范光著腳，正把紅夾克掛進衣櫃。

「可是，我正放水準備洗澡。」

「你不是說要聽鐘聲嗎？」

小范將夾克拿出掛進，掛進拿出，丟到床上。

「好，我就來。」

莊世桓由外邊將落地窗門關了，長腳一提，跨過空心磚矮牆，到了陶的陽台。

陶之青撥亮陽台的燈，捧了茶盤走出來；腹上鬆鬆紮了條深藍腰帶，袍角飄呀飄，眼見就要沾到地上的水，又飄飄提吊上去。

「唉，原來妳穿了kimono。」

「這是yugada，浴袍兼睡衣，怪清爽的。我姨丈，小范的爸爸去日本開會帶回來的，」

陶之青的口息裏有股子淡淡的酒味。

「反正是日本衣服！」

「So what？公賣局不也賣洋煙洋酒嗎？再說，本來就是我們唐代的衣服——中國人慷慨絕頂的博愛精神，火藥、指南針、麻將牌外一章！」

莊世桓幾乎把鼻尖揉紅了，藤椅有點濕，也管不了那麼多，一屁股坐下，兩腳直直伸上欄杆。

陶之青倒了茶。

「吃餅吧。」

「呼！不是才吃過飯嗎？我喝茶。」

「我也沒胃口，可是就剩兩三塊，從台中帶到溪頭帶到涵碧樓，如果再帶回台北，才不甘心呢。早曉得，該丟給渝苓，讓她胖得像太陽餅！」

「她並不胖啊！」

「她自以爲胖。」瞟了莊一眼，笑道：「你說她不胖，她說你話裏帶刺兒，說她胖又要惱，」雙手一攤：「有什麼辦法！」

陶之青踢掉拖鞋，腳盤到椅上，打個響呃，從袖筒裏的暗袋摸出火柴，點了一根菸。莊世桓曲著食指擦擦鼻子，拿起杯子，掀了杯蓋，吹開茶葉，啜一口。

有人輕輕敲門。

陶之青皺皺眉，雙足落地，撈拖鞋。

「我去吧。」

陶之青手一擋，繼續找拖鞋。莊世桓彎下身，發現鞋在茶几腳，伸手替她拾了，不想她正一腳踩上去。

「Thanks！」扱了拖鞋，拖拖沓沓開門去。

「呵！原來是你！幹嘛鬼鬼祟祟？」

「從大門進來也叫鬼鬼祟祟？」小范嚷著走上陽台。「老莊，敲鐘了沒？」

「我沒聽到。」

「但是，玄光寺那個尼姑下午說七點半敲，現在已經快八點了。」

「只有兩種人才會聽到這種鐘聲，」陶之青坐下，挑起香菸：「特別悲哀和特別清心的人。你是那一種？」

「我什麼都不是，」小范倚上欄杆，又縮回來：「該死！是濕的！」拉了張椅子坐下。

好一陣子，三人都不說話。樓外，雨沙沙刷著。偶爾一溜風，飄進毛毛雨絲，涼颼颼的。

小范咳嗽一聲，將腕上的錶、插在襟上的太陽眼鏡、袋裏的衛生紙、手帕、指甲剪、眼藥水、aspirin……通通掏出來，擱到几上。

「又掏又掏！」陶之青叫道：「有一天一定會掉光！」

「掏光了舒服一點嘛。」說著，又掏出一隻塑膠瓶子，倒出幾粒白色小藥丸。

「這回又是什麼？aspirin？」

「No，我才不管感冒呢，它自己會好。這是敏感藥。」一仰頭，將藥丸全數塞進嘴巴。

「我永遠猜不到你要吃什麼藥。」莊喝口茶說：「到底如何癢法？」

「嗯——，」小范的眉紋成一團，光坦的額上爬現一紋紋倒八，濃眉掩覆後的深凹眼眶擠迸出兩道凝聚得十分的光芒。

「癢！就是癢，我也說不來。有時晚上睡覺發起來，又沒力氣抓，就把身子往牆上搓……呃，有點像一萬隻螞蟻在骨上爬！」

「不錯，」陶之青慢條斯理吐出一口煙：「就是壞在骨子裏！把骨頭拆下來刮一刮、洗一洗，包你沒事！」

小范不則聲。莊世桓半分鐘內摸了三次鼻子。陶之青啜口茶，咂咂嘴。

「范緯雄，麻煩一下，叫他們送杯咖啡來好嗎？」

如獲大赦，小范生龍活虎蹦起來，連跑帶跳到房裏打電話。

「這個時候喝咖啡，不怕睡不著？」

「Doesn't matter，睡前一杯牛奶一樣的，再說剛剛又喝了點酒。」彈彈菸灰。

七八隻大水蟻繞著燈光團團轉，灑落斑斑半透明的陰翳……莊世桓挑著一片餅屑往口送，一葉蟻翅飄飄掉進茶杯。他嘆口氣，擱下茶杯。陶之青笑了。

「小時候，下雨的晚上，我父親常故意開窗，讓大水蟻飛進來，放一臉盆水在燈下，逗牠們下水，逗我們玩，我母親就火得不得了……」

「Yeah，」陶之青說：「我們初到台灣那幾年，住在一個日式房子，也這麼做過——Funny，我到現在還不知道你父親是幹嘛的。」

「我也不知道妳的。」

陶之青挑挑左肩，偏頭笑道：「這就拉平了！」

「噓！」小范按著莊世桓的椅背：「敲鐘了！」

Mmmm……，mmmm……透經雨林篩過來的鐘聲，恍若並不來自對岸寺廟，卻似由水中湧現；一口遺落潭底的古鐘，爬滿了青苔綠銹，隨著水流晃漾，發出那樣低柔幽晦的音響，一帶帶揉上陽台，勾住欄杆，纏繞不休——通！……通！……通！……通！……潭水陡然洶湧起來，將沉鐘沖激得流離翻滾。通！……通！……

「九急九緩，那尼姑說的，」小范說：「她要敲一百零八下。」

有人按鈴。

「咖啡來了！」小范開門去。

「請送到陽台來好嗎？——哎，小范，有沒有零票？」

「可以先記帳的，」侍者說。

「謝謝你！」

侍者出去，才把門帶上，小范跳了起來：「該死！我在放熱水呢！一定滿得淹出來了！」三步兩步，跨牆而去。

雨密了。鐘聲漸不可聞，而綿長的尾音兀仍不散；細柔的銀絲鑽附腦心，一圈圈環紋著：突地隱了，化爲一股清涼，流遍全身。

眞想抽根菸——莊世桓摸摸几上那包莒光，空扁扁的，又懶得掏口袋，放棄了。

「嗯哼！」陶之青咯了一聲，繼而轟轟烈烈地咳起來，折騰半天，止了，卻又拿起咖啡啜了一口。

「妳是不是回房去好些？」

陶之青搖搖頭，將咖啡杯咔地擱回碟子：「——咦，你那個roommate怎麼樣了？」

手抬起來，剛觸及鼻尖，又縮回來，放在藤椅扶手，含含混混地說：「I don't know。」

「他沒寫信給你嗎？」

「沒寫什麼。」手，慢慢在扶手上來回搓磨。

「哎，他們這種人！……」陶之青猛然扭轉身子，臉上一漫酡紅，眨著眼，眼光亮得驚人：

「其實，有個fairy當男朋友是不壞的，you know，」手揮呀揮，短菸脫指而去，落入濕地，吱叫一聲，熄了。

「一個女孩子，——well，其實男女都是一樣的，多出去幾次，算盤就搵得噠噠響。只有fairy這種人，才能當眞正的朋友……」

一按藤椅扶手，人站了起來，望著陽台外冷冷黑雨，莊世桓冷冷地說：

「抱歉，你看錯人了！」聽莊世桓跨過矮磚牆，拖開窗門又拉闔了，陶之青呆呆坐著。她伸起一隻手順順頭髮，彎身拾起那個濕黑的菸頭，放入菸碟。望望几上小范的雜物，捏起香菸盒，發現是空的，揉成一球……從菸碟挑出最長的菸蒂，有點潮，擦了兩根火柴才吸活。煙，混著咖啡的熱氣，飄在濕氣濃重的空間，灰藍灰藍，凝迴不散……

■

涵碧樓許多地方都是古香古色的中國風，房裏的擺設卻洋味十足——莊世桓從浴室出來，準備上床，看見奶黃的毛毯，三邊塞到彈簧墊下，只有一角翻摺出來，毯緣一道猩紅的絲邊，刺眼異常——一個裹屍袋！袋口沾著最後一泊鮮血！莫非跟幾個神經不對頭的人待久了，居然有這種怪誕的聯想？——管他，就是裹屍袋又如何？公賣局不也賣洋煙洋酒？一掀毯角，鑽了進去。正待熄燈，又看范綽雄還沒想睡的意思。

小范打著赤膊，倚在床欄，抱住一個大枕頭，看書，嘴巴動個不休。抬起頭，扔過一片口香糖。

「不，睡了。」莊說。

「你算過沒有？你吃口香糖一分鐘嚼幾次？」

「嗯？沒有。怎麼啦？」

「我猜你大概是二三十下。」

「你數過？」

「猜的。」小范揚揚眉：「因爲你走路不慌不忙，我想嚼東西和走路的速度是成正比的。像我這樣的急性子，約摸有六十來下。」

「吃飽沒事幹啊？」莊笑了。

「好玩嘛——唉，幾點了？」

「你的錶呢？——哦，忘在隔壁。」莊世桓由毯裏抽出手來。

「放在檯子上，懶得去看。你洗澡時，我過去拿回來了。」

「九點半。」忍不住再問一句：「陶之青睡了吧？」

「No，剛剛還在陽台坐，拉著臉不說話——不曉得我什麼地方又得罪了她。」

小范扔了書，捏起銀紙片，包住吐出的口香糖，投向字紙簍，沒中；縮縮肩膀：「籃球零分！」從床邊小几一個黃玻璃小瓶，倒出幾片藥。

「你不是才吃了嗎？」

「不，這是sleeping pill。」

「Sleeping pill？」莊世桓骨碌碌坐直了，皺起眉：「你連這個也吃？幾顆？」

「四顆！」一頓吃四碗飯的口氣。

「你不要活啦？這是不行的啊！」

小范聳聳肩，藥片往嘴巴扔。

「吃了多久啦？」

「記不得了。不很久，我算算看，去年夏天淹的水……記不得了。起初吃得很少，半顆、一顆……」扭頭望莊一眼，聳聳肩。

「淹水跟安眠藥有何相干？——你是說你在淡水淹水的那回？」

「Yeah，你淹過水沒？」

「小時候，四五歲的時候吧，忘了是什麼滋味。你到底會不會游？」

「Sure，我高二暑假還到左營參加過水上活動。可是這一年來，我只敢在游泳池泡泡水說真的，淹死了倒也不會很難過，喝幾口水就下去了，什麼也不知道。事後也不覺得如何……可是過了好久好久以後，有一種很可怕的情緒常常莫名其妙地跳出來，掐住你脖子。在公共汽車上、上課時、電影院裏、或在街上走，那種感覺好突然地就來了……後來愈來愈糟，上床了要睡，剛閉眼，它就來了……」

小范的眼神慢慢沉黯下去，呆呆滯滯地打量著天花板、梳妝台、鏡子、地板……

「後來吃了點藥也不管事，愈吃愈清醒愈睡不著，那種恐怖愈掐著你不放。後來，我吃了藥就看書，聚精會神的看，看到藥力發作，眞的抬不起眼皮，頭昏腦脹就睡過去了——Goddamn it！我倒是因此才看了些書！」

「這不是自欺欺人嗎？」

小范髮絲掠到眉梢，睜睜望著莊，嘴半咧，僵著，左眼下的肌肉又痙跳起來。

「有什麼辦法？你不曉得那是什麼滋味！就像，呃，就像大太陽下，一大群人圍著你，瞪著眼看你活生生的被流沙吞進去一樣……」

頭，機機械械轉過去，驀地推開胸口的枕頭，跳下床，氣急敗壞，光腳跑到窗門，刷的一聲，拉闔了簾帳的一絲隙縫，回過身，撿起口香糖，丟進字紙簍……

望著小范的背影，莊世桓有一種「被掐住脖子」的感覺——均勻的四肢、腰身、寬肩、窄臀，一身耀亮的肌肉，好俊的一個小伙子，怎麼會……那吳哲又怎麼說呢？——趕緊抓了口香糖，去了紙片，丟進嘴，忍不住又摸起鼻子來。

「這是不行的！范緯雄，你不能這樣下去！也許，也許你該去看看心理醫師！」

小范回到床上，將枕頭打鬆，塞在背後，又抓一個抱在手上，下巴擱上去，有聲無氣地說：

「Yeah，陶之青也這樣說過。But……no! not me!打死我也不會去找他們——你知道嗎？有一家好有名的大醫院這一門根本虛有其表，有時就找個intern敷衍你一下。然後——說不定下個禮拜，你的故事就滿校園飛。Dreadful，我就聽過有人吃過這種啞巴虧！」頓了頓，又說：

「其實，我自己就是最好的analyst，我比誰都明白我自己。只是——I just can't help……」

「慢慢來吧，不要想得太多……」

「而且，我知道，我現在的拐杖已經夠多了，我不想再去找一副來絆手絆腳！」

小范說完，呆坐一會，吁口氣，低頭看書。

莊世桓不作聲，嚼啊嚼，微微皺個眉，吐出口香糖。

「你看什麼書？」

「Carson McCullers的The Heart is a Lonely Hunter。」小范的勁兒來了。「你看過沒？no？那你看過改編的電影嗎？譯作什麼霜殘淚紅，臭爛一個片名！去年在樂聲上了三天就下片，今年又在遠東演四天，電影沒原著好，不過Alan Arkins……」

「那個Alan Arkins?」

「你知道他的。『盲女驚魂記』看了沒?就是逼赫本,最後被赫本宰了的那個壞蛋。還有『七段情』裏,跟傻大姐去開房間要自殺又開小差溜了那傢伙。」

「哦,這兩個片子我都看了,他是演得不壞。」

「在Lonely Hunter裏,他演那個啞巴,最後——」小范併著雙指戳住太陽穴:「自殺了!演得亂棒一氣!提名Oscar——你到底看了沒?」

「有人跟我說很好,可是我沒去看。」

「Why?」

「他們說,裏面扯到黑白問題,而我是不喜歡黑人的。」

小范打開書,看兩行又問:「Why?」

「黑人又懶又髒!我沒好印象。」

「中國人還不是差不多,」小范頭也不抬。

天啊——一腔熱血通通沸騰起來了,把滿肚子火燒向自己:怎麼連一句粗話也不會?該死?我操?去你媽的?幹你娘?——不是不會,而是使起來不俐落。琢磨了半天,莊世桓說:「噢!」自以為聲如洪鐘,小范卻無有反應。身子一溜,擠進「裏屍袋」……謝天謝地,兩隻枕頭疊起來,總算高得可以睡個好覺吧!過了一陣子,小范機伶伶打個顫,從書上抬起來，輕聲低喚：

「老莊……老莊！」

莊世桓不響。小范愣了一下，伸手關掉日光燈，僅剩床頭一團昏黃的燈光囚囿著他。

■

那幅潭景，每個顏色彷彿都由沾露的酢漿草提煉出來的，好清、好淡，透著若有似無的芬芳。天藍水靛，水天間溶浹著薄荷綠的山巒，山頂漫漫輕雲，初浣出來遭風吹亂的新絲。旭陽灑下一屑屑薄薄的金箔，一艘汽艇寂寂拖開兩道浪白，漶漫了水底的雲天，雙波描出的三角形是荷青色的，波外則為海藍。黃欄杆外，兩棵筆直的白樺，在微風中雀躍著透明的葉青……

撩開杏黃簾帳，莊世桓心頭不由一顫，久久一個大氣也呼不出，惟恐揉縐了那份鏡似的安謐，拼盡全身力量，鬆了簾帳。

小范雙手併縮胸口，捲著毯子，頭歪歪偏倚枕角，一流黑髮淹過右眼，兩頰酣紅地熟睡著。莊世桓放輕步子，橫過房間，帶上門，走出去。

櫃檯說，陶之青好像還沒起來。

「謝謝，她起來了，請告訴她我去外面走走。」

到樓下翻了一下隔天的報紙，出去溜一趟。回了旅館，正打算上樓，昨夜送咖啡那個侍者攔住他說：「陶小姐在餐廳等你。」

窗口那個檯子，雲白桌布中央一塊淡柴方巾，巾上一個黑亮的花缽托出幾梁橙黃的金針花。浸在紗窗滲入的綠意，陶之青穿了件方領白衣，寬寬的袖子在手肘上開了口，長髮扎成兩束，分披雙肩，髮梢咬著一條深青絲帶，口上薄薄緋紅唇膏，卻逐不走眼下的疲憊；好似一週前挨人揍了，青腫未消。

「早。」

「早，」陶之青啜口咖啡，又點了根菸。

「這邊的肉絲麵還不賴。我做主替你叫了，不夠的話，再叫點別的。」

「怎知道我會來？」

「我從窗口看見你走回來。」

「哦——小范……」

陶之青空著的左手，五指鬆鬆擺一下：

「吃了藥爬不起來是吧？——可別問我睡得好不好！一部開山機在我腦袋裏做了一夜工。」

莊世桓呵呵笑了，座椅往桌子挪挪，心中那點疙瘩霍然剔得一乾二淨。

「你剛剛去了那裏？」

「沒什麼，看看報，散散步。」

「Anything new？」

「啊，Columbia又在鬧學潮了。」

「眞是鬼打架！」陶之青微吊著一個嘴角說：「有飯吃有書唸。好端端鬧什麼學潮？活得不耐啦？」

「夠了！」不知那來的火，一冒三丈高：「抱怨！抱怨！正經事不幹，光是抱怨……昨天范綽雄也說什麼中國人跟黑人一般髒一般懶……」

陶之青似笑非笑，悠悠閒閒噴出一口煙。

「你們不能老是這樣抱怨，發牢騷，」莊世桓眉毛眼睛擠湊成一團：「總要——You've got to do something！」

「Well，」兩道灰煙由鼻孔騰出：「For instance？」

「譬如說——譬如說……」手在空間撥抓著，「譬如！」一把掠下陶之青往唇上送的香菸：

「少抽兩根菸——又是咖啡又是菸，還有昨天晚飯半瓶紹興，頭不痛才怪呢！」

把菸在菸碟扭了再扼，扼了再搓，按得死熄。一鬆手，忽然驚住了，恨不得化成一陣煙，立刻消失。

微抬著下巴，陶之青嘴角抿抿抽抽，眼裏油油然兩泡水，呼之欲出。莊世桓擱在桌面的一隻手，鬆鬆半握拳，紋風不動：桌底下那隻，可把手心和大腿磨得發熱。

侍者送來了麵，轉身才走，兩人一聲不響，抓了筷子埋頭吃麵……

莊世桓正用餐巾拭嘴，小范一搖一晃走進來，身後尾隨六七個穿得花紅柳綠的中年人，生怕不受人注意似地七嘴八舌。

小范拉開椅子，兩腿一分，叭噠坐下，頭也不抬地對侍者說：「先來杯咖啡。」吸活一根菸，人也乍然活了過來，昂頭說：

「我們一定要今天走嗎？」

「你又要出什麼花招？」陶之青習慣地夾出一根煙，「不是說好中午金馬號下山嗎？」食指點點香菸濾嘴，將它彈進菸盒。

「再說，莊的假只請到明天……」

「再不走，」莊世桓把餐巾摔到桌上：「我要被扣下來當waiter付帳了。」

陶之青笑笑，轉過頭，拉下笑臉，對小范說：

「怎麼？你不想走？」

「嗯。好想再待兩天才回去，反正回去也沒事。」

「隨你，我不管！」陶之青半搭著眼皮：「不過，你等一下最好打假長途電話備個案，別巴望我會去姨媽面前替你說話。」提起餐巾，疊得方方正正，掉頭看看那群紅男綠女，說：

「Gosh，我眞不曉得他們廣東人在花前月下用什麼語言談情說愛！」

■

「要不要叫部車？」侍者推開玻璃大門。

莊世桓望望陶之青。

「不了，」她綻出一個微笑：「謝謝！」

林蔭覆道的水泥路像一條削得工整細勻的梨子皮蜿蜒拖下山……

陶之青的髮結掉了一個，髮絲鬆鬆飄到肩後，搖搖頭，嘆道：

「Oh, God, I'm dying……」

「這麼累，幹嘛不坐車？」莊世桓接過她的紅包包，掛到肩上，右手提住淺藍旅行袋，左手伸過去摟住她的腰。

「來了趟日月潭，坐了趟船，一步路也沒好好走……」陶之青把頭偎上莊的肩膀。

「Oh, God, I'm dying……」

一粒烏黑的東西曳著殘聲自眼前掠過……

「蟬！」

「蟬？」陶之青雙眼一亮，搖盼一下，又把頭擱上莊的肩：「我的天，我一定要死了！」

坡上一片悄靜……陡然間，一帶裂帛之聲自林際拋出……歇了。道旁草叢怳然蠢蠢騷動起來，那份綠色的死寂愈漲愈高愈淹愈廣，直叫人透不過氣……緩緩滯滯，一絲低鳴頂裂窒寂，瀉上馬路。接著，宛如演奏會前的調音，這兒一聲低音大提琴的嗚咽，一串豎琴的淙淙；那邊兩滴小提琴的撥弦，一溜長笛的嚶鳴……此起彼落，此落彼起。墳場燐火飄忽躍落……冥冥中，依稀一條金鞭在空中舞旋不休……

「莊。」

「嗯？」

「明年，如果明年我們再來，還會有蟬嗎？」

「當然有，可是那是另一批新蟬。」

……金鞭愈旋愈急，不見鞭影，滿天金星；霍然雲消霧散——一刻沉寧。突突然然，法國號加銅鈸加定音鼓，轟轟然自天而降，轟得人頭昏腦漲，混身燥熱。盈鼻夏午海灘上的氣味，意識裏只剩下一團沉沉混淆，分不出東西南北——那把蟬歌熾熾烈烈燎燒開來，焚得滿山遍野儘是亮晃晃的金光……

「妳怎麼知道他眞的是自殺的?」

眼光散渙地看著窗上淋漓的雨跡，陶之青一動不動——左唇角倏然提吊，眼尾平白爬出幾絲細紋，打鼻孔哼了一聲:「報紙不都這麼說嗎?」重重靠上帆布椅背，搖椅晃晃蕩蕩擺起來。

莊世桓手肘支在沙發扶手，拇指撐住下巴，食指拂拂鼻尖:「我不相信……」說了之後，忽然覺得這句話多麼無足輕重，像夾在唱片急促的快板裏那麼軟弱無力。撤開手，身子一溜，頭倚在椅背上……恍恍惚惚，他竟開始在分辨那到底是普洛柯菲耶夫還是拉哈曼尼諾夫。察及這點，莊世桓不禁對自己憤忿起來。

「我知道他不會去自殺的!」他叫道:「我知道!我們下山前一夜……」

「那些記者說了，他是自殺的。灰色小說害死他?」

「去他媽的破記者!就因爲他在看那本The Heart Is a Lonely Hunter裏頭有個人自殺了?他們懂個屁!要不是有改編的電影，他們那個又讀過?」

「他們還翻出一篇他以前在校刊寫的一篇文章，叫什麼棉花糖及其他，說生命就像一捧棉花糖，賣的人說好，看著好看，吃起來甜甜的，其實什麼也沒有，到頭來只剩一根髒竹片，Da—mn……But……but why, why in hell he……?」

陶之青蹙著眉，僵緩地將菸湊到唇上，狠狠深吸一口，慢慢吐出。

「What the hell he knew about life?沒受過傷沒吃過苦，一張白紙，什麼也沒寫就燒得乾乾淨淨……」

莊世桓閉死了眼睛，聽見唱片裏的響雷霹靂一刀刀劈過來……他拉直脖子，說：「我打過好幾次電話給妳，怎麼也接不通。」

「我回台北那夜就倒下來，到陽明山去了。再說，這幾天家裏的電話根本沒掛上，那些記者……他們也一直沒對我說，一直到我姨媽憋不住，哭上門來，我才曉得……她那副樣子，雖沒直說，就像我害死他兒子——天！你不曉得，管得那麼緊，二十歲了，還每封信都查……看得死死的，卻到他死後，才曉得他吃那麼多種pill！」

樂聲陡然沖淩直上，拔出一峰高聳的浪潮，嘩然碎裂，涮出萬千白沫，激盪迴漩……

「之青，是不是……」莊世桓囁嚅著：「我覺得小范好像喜歡妳。」

陶之青猛地扭過頭，眉頭的結鬆了，拋出兩道淒厲的眼光，怔一下，黯了，落落寞寞地說：

「也許……不，他不喜歡任何人，除了他自己，而他也不是我的type，我不喜歡扶牆摸壁站不直立不穩的人……也許我對他是絕了點，可是我總想應該訓練他好好控制自己。哼……」冷笑一聲：「我自己又比他強多少？」

「但他並不如妳想像的那樣weak，他死前那夜還跟我說，他不要那麼多拐杖。」

陶之青劇烈地甩甩頭，驀然驚覺到自己已剪短了頭髮，輕顫一下，菸灰噗地落了一腿。手，慢慢移到耳邊，摸著光裸的頸背，拂到臉頰，將面上的肌肉擠到鼻翼，將整個頭推向莊的方向。

「那天夜半，他打電話到我房間，說他煩、睡不著，」看了莊世桓一眼：「你曉得的，那天我自己又煩又累，就沒好氣地對他說，如果他不要想得太多，少神經點，讓自己相信不會癢、不怕水，什麼事也沒有了……」臉上的手指，一支支滑過鼻端、人中、嘴唇：「也許他不是自殺的，可是我寧願認為他是！」

「妳自己也明白，沒有人害死他！」莊世桓吼起來：「那只是意外！之青，妳沒有道理這樣苦自己……」

嚷了幾句，發覺陶之青根本一句也沒聽進去，一種荒謬的感覺突如其來地抓住他：彷若他們是一對共謀犯，急躁地為犯下的罪行找藉口，為自己辯駁。或者，兩個遇難的船客，流落到荒島上，背倚背支持著彼此，眼前卻是兩樣風景……住了口，心底不由打個冷噤。

唱片完了，唱針在最後幾道溝紋來回往返。卡！卡！卡！莊世桓勾著雙指，扶起唱針，華格納序曲集。怎會以爲是拉哈曼尼諾夫?關掉唱機，回頭看見陶之青兩腳抵著地板，有一搭沒一搭地搖著;他站起來，上浴室。

上午倒掉的半杯牛奶殘汁猶存，白瓷洗手檯上黑壓壓一片螞蟻。扭開水籠頭，嘩啦啦沖走蟻群，僅有一隻附在角落，死也不肯下去。再開大點，螞蟻掉進漩渦，捲著轉著，流下去了。

扭死水龍頭，莊世桓發現自己的顏容倒映在水槽中，凹凸變形。緊緊握住冰冷的旋把，他愣著……重重吁口氣……

——吳哲!如果你要死的話，一個人去吧!這樣下去，我們兩個會一塊兒沉下去的!

手在毛巾擦上十來回，莊世桓走出浴室。陶之青正捏著一個冒煙的菸頭東張西望，他到書房拿了菸碟給她。

「謝謝，」陶之青把菸蒂按熄，抬眼望他一眼，緩緩地，又扭過頭去……

「晚了，我們出去吃飯吧。」

陶之青恍若未聞，一動不動，散亂的短髮蓋住半隻耳朵，將髮下的耳垂，襯得死白……

天哪，她怎會去剪掉頭髮?——她怎會這麼瘦，這麼小，這麼醜?……之青，回過頭來，妳會發現我們還有兩個人!

好像聽到他心底的喃喃，陶之青掉過頭來。咬著下唇定定望住莊世桓，鬆了下唇，咧開嘴，沒說話，又別過頭，盯著窗外的雨，半晌，平靜地說：

「我大姐上個月幫我弄到Sarah Lawrence的admission……本來我還在考慮是不是要再從二年級唸起，可是，現在——」

莊世桓把伸向陶之青肩膀的手抽了回來，順著她的視線望向窗外。

雨，澎澎湃湃落著，對門那棵大王椰遭雨澆得垂頭喪氣。

陽台外，電線上掛著一排水珠……溜溜匯聚成滴，沉甸甸地落下去，在道旁的泥沙上，鑿出一個個豆大的窟窿。溝裏的水嘩啦嘩啦朝巷口的小河奔去……

■

那個厚實透明的大菸灰缸，是蕪亂的桌上唯一發亮的東西。沿牆豎著一排「創世紀」，幾本焦頭爛額的詩集：「夢土上」、「深淵」、「蓮的聯想」、「膜拜」……書上厚厚一層塵埃。桌心擠滿了大大小小的洋裝書。一部英文字典壓著一疊Time，書皮敞開，露出扉頁上兩個粗粗的花體S．H。菸灰缸緣一行白字：Lufthansa，字旁一環小圓圈，圈著一隻展翼的白鶴。缸心一層黑白參雜的菸灰，灰上浮著七八段長短不一的菸蒂。一支菸，掛了老長一截灰，踞在缸緣的缺口，呵出一絲絲長煙，煙霧直上白粉壁的一幅大日曆，叫日曆上那架飛機看來像眞的在破雲前進。

兩根粗長的手指伸向菸灰缸，猶豫一下，將短菸剔進缸底。手抓起字典，放在一張淺藍的航空郵件上：沒有壓死，半張信箋打字典下流了出來。

卡吱！有人拖開椅子。一陣衣裳的窸嗦，一陣腳步聲叭噠叭噠……「砰！」有人關上門。

也許因爲門關得太猛，也或許爲了窗外的風，信紙撲地貼上字典，缸心兀仍騰冒的煙被颳得曲曲扭扭。過一會，風止了，那股輕煙又抽得好直好直，像一條線，信紙飄飄緩緩地癱平了。

莊：

這幾天淨做夢，昨夜居然夢到和你在水源路走，說要去永和吃豆腐腦，（可是我們從來沒去吃豆腐腦的！）你說過了橋就到了，可是那條橋長得要命，怎麼走也走不完，你說過了橋就到了，然後我就醒過來，氣得很，一早就與我先生吵了一架。我不曉得怎麼會做這樣一個夢，也許是上禮拜在一個party偶然聽到你以前一個同學說你有了高就的緣故吧。（也許那個人根本不是你的同學，我也記不得他叫什麼，這裏的中國人說多也不多，可是嘴巴是不少的。）總是這樣忙，也不知在忙什麼，可是眞的忙得實在沒工夫再去胡思亂想，特別是有了孩子（一男一女）以後。

可是我也不是在complain什麼，我想老是覺得自己在suffer是不對的，再說就是眞的在suffer也不是爲別人，而是爲自己，爲自己選擇的生活方式。以前在家時，除了玩，幾乎什麼事也不做，現在我除了每兩個禮拜一次去學平劇，簡直沒有一刻輕鬆悠閒（信不信由你，我在學平劇！這裏的中國人一碰頭，麻將和撲克牌馬上出籠，而你是曉得的，對這些玩意兒我永遠也提不起興趣來。）老實說，這六年，我很少想你……

七月黃昏的西門町。人味、汗味、土味、煙味……混在熱烘烘的夕陽裏，瀰漫著黏答答的朽臭，惟有風過時，一股玉蘭花的香味自新生大樓廊下飄起，才叫人舒心點。

「等一等，我要買一串玉蘭花。」

「嗯！玉蘭香得薰人。」摸摸鼻尖：「爲什麼不買茉莉？」

「好，茉莉一串！」

短髮女孩將串著軟鐵絲的茉莉絞成一個指環，套進戴了戒指的食指，揚起手，湊到高個男孩的鼻尖。他深吸一口氣，笑了，摟著她的腰，走上陸橋。薰風撩顫著他的髮，他伸手拂平了。

——那條橋長得要命，怎麼走也走不完……

……我倒是常常想到小范，特別是我特別高興或特別煩的時候，過了這麼久，我還是願意想他是自殺的，當我被生活折磨得懊喪時，我常想小范是比我們幸福的，他一走了之，省去了好多煩惱和痛苦。可是有更多的時候，我又想，他這麼早結束自己，也失去了許多生命中值得叫人欣慰的事情，像家、孩子。（你結婚了沒？你那個同學沒提起，我實在不能想像你的太太會是什麼樣子——你跟那個姓吳的roommate有沒有聯絡？他也在這裏，不大跟中國人來往。也是聽來的，也許根本不是他。）其實，我們不必想得太多，有那麼多事，我們以爲會發生，感到害怕恐懼，結果不一定發生，卻有那些做夢也想不到的事，一件又一件像浪潮打過來，我們一樣死不了。其實我們什麼都不要想，而我們就會活下去，而我們就活過來了，我們什麼都不必想，不要去想……

有一年夏天，我遇到一群人……那年夏天過後，我再也不曾看見他們，再也不曾聽到蟬聲。

叮、叮、叮、叮……一輛火車卡啦卡啦卡啦由陸橋下飛竄而過……叮、叮、叮……

夏午六時，天色尚早，而西門町的霓虹卻伴著平交道的叮叮與中華商場飛起的樂浪，爭先恐後藍……黃……綠……白……紅……地流灑起來，和陸橋上的人頭一樣，永遠川流下去。

一九六九年春

註：莊世桓在溪頭對劉渝苓背誦的幾句詩，摘自啞弦的「如歌的行板」；見其詩集「深淵」。

辭鄉

火車快到新港時，一田田蒼綠的甘蔗直奔過來。一個戴墨鏡著深褐花襯衫的年輕人，從行李架取下〇〇七式黑色小皮箱，看見夕陽下起伏的綠浪，心中不覺一熱。等他走出車站，落日卻已沉入蔗田後面。他摘下墨鏡，放眼望去，只見幾棟水泥樓房從鎮中心的炊煙暮色中挺立出來，樓上亮著幾窗微黃的燈。年輕人將墨鏡塞進上衣口袋，心想：幾年沒回來，想不到故鄉竟興旺得如此！

年輕人沿著車站前筆直的馬路往前走。郵局門口，兩位老者並坐在石階上，抽著菸；細煙直直拉上去，越過頭上的斗笠，逸失在簷下的陰影裏。郵局對過是國民小學。操場黃禿禿的，只有近街處長了一排尤加利，鬱綠的葉子靜靜垂著。

忽然，樹後蹦出一個鐵環，彈過水溝，溜溜滾向街心。「你娘咧，再跑！」一個光頭赤腳穿著國小制服的男孩跑上去，伸手抓住了鐵環。樹後又跳出個小孩，把人中上的鼻涕吸回去，微喘著喊：「阿兄，等我！」穿制服的男生猛力一推鐵環，頭也不回地叫：「卡緊！」鐵環旋成一串圓影，天涯海角地闖下去。兄弟倆一前一後追著去遠了，踹起的灰塵在路面打轉。

飛沙走石。年輕人搖搖頭。新港就是這副德性：牛車慢吞吞走，黃沙在半空中發亮。滿是牛車輪跡的泥路，現在都舖了柏油。可是，才走這麼點路，靴都髒了……

牛車。老家也有台牛車，漆成很暗的紅色，放在大門口。爸爸的牛車。爸爸年輕時竟也下過田，眞叫人難以相信。小時候回來過暑假，總喜歡爬上去玩，有一次還在上面睡了過去——年輕人不自覺地笑了——後來，牛車不見了。那年回來參加四曾祖母葬禮，才發現大門口的牛車不在了。祖母說：「賣去了啦。留著那古董做什？」

也眞是的，家搬到台北後，每次回新港倒爲了奔喪：六曾祖母、吳嬸婆、柱仔叔公、四曾祖母……都只見過幾回，長得什麼模樣也不清楚。可是爸爸瞪著眼說：「長子長孫怎麼可以不回？」昨天要去向薇薇的父母辭行，他又有話說了：「大熱天跑到高雄去看女朋友的爸爸媽媽，回老家掃個墓倒辦不到？」

回就回吧！年輕人聳起一個肩膀：反正是最後一次。

高雄到嘉義，又在老是誤點的小火車上悶了一個多鐘頭。年輕人滿身大汗，決定穿過市場，省一截路。回了家，先打幾桶井水好好洗個澡再吃飯。不知老家的門是否像從前那樣虛掩的。

那兩扇朱紅的鐵門，立在灰色空心磚牆中間。顯然是新上的漆，在這樣燠熱的夜晚，幾乎嗅得到那刺鼻的油漆味。沒漆勻，近牆處露出幾斑橙黃的底漆，摸上去也是粗糙，溫熱的。

年輕人縮回手，心中好不惶亂。剛剛他就那麼興沖沖走過去，差不多到了媽祖廟，才察覺走過了頭。三步併兩步趕回來，卻發現這兩扇陌生的大門，上面沒有門牌，沒有門鈴，也沒有鎖，推也推不開。

他偏頭望望：沒錯啊，左鄰是中藥鋪，右邊是木器行。但他卻沒聽說，老家新起了一堵牆和大鐵門。年輕人把黑箱子擱在門邊，倒退至街道中央。紅門後浮出赭瓦屋頂，簷下一塊東西兜了點光，藍幽幽的。他認出是那塊藍底金字，「妙手回春」的匾。祖父開辦新港第一家醫院時，地方人士聯名送他的。匾下應有盞燈，此刻卻墨黑一片。他又退幾步，直退到水溝邊。天井三棵木麻黃探出頭來了，樹後屋脊疊疊，無有燈光。他心一沉，愣了愣，轉念又想，也許人在後院廚房，便奔回來，「空！空！空！」地擂起門。

有一陣模糊的狗叫。年輕人狂喜低呼道：「黑仔！」犬吠隱去。他這才記起前年祖母到台北小住，提起老家那頭黑狼狗被卡車壓死了。他歇一下，重又使盡力氣搥門。

「少年仔，你找什人？」

年輕人猛回頭。對過輾米廠門口，一個白長衫的女人，搖著紙扇，背光而立。

「喂，你找什人？」

年輕人將手插進屁股後的口袋，趨前數步，微微欠身，昂頭道：「我是景堂的後生……」

「哦……陳先生！剛從台北回來？找你孝楨叔是嗎？五點多我有看得伊下班回來。這陣仔不知出去啊莫？」女人走過來，紙扇一揚：「伊攏由邊門出入啦……」

姓陳的年輕人跟過去。毗鄰中藥鋪的牆凹處，果然有扇小紅門。門上落了個大銅鎖。

「啊這就……」女人的紙扇垂落一旁。「伊有時去看電影，有時去找朋友，有時在農會值夜——那就不回來過暝了。你找找看……莫清楚伊人去哪方咧。」

年輕人沉吟一下，謝過了女人，拎起小箱子，朝媽祖廟走去。

一輛卡車迎面馳來，兩道白光刺得他睜不開眼。轟隆隆卡車遠去，滿天塵埃慢慢落定。後街又是小鎮陰沉穩靜的夜。

出了媽祖廟旁的小巷，世界霍然明亮嘩鬧起來。兩排日光街燈將廣場照得好似大白天。小吃攤騰起的熱汽在燈下織成薄霧。賣「補腎丸」走江湖的吆喝，「苦酒滿杯」和一支台北已過時的阿哥哥，混著行人的木屐聲喧滾著。偶爾一陣電影院的槍聲砰砰砰地蓋過所有的聲息。空氣中彷彿氤氳著廟宇飄出的線香。

姓陳的年輕人行至一個搭著白布篷的麵攤。兩個莊稼漢蹲踞在長條木凳上，駝著背埋頭吃麵，腰間各繫一條花毛巾，腿肚上沾著黃泥巴。聽見年輕人喝道：「肉羹麵！大碗的。」兩人不約而同抬起臉，上上下下打量他。

年輕人自顧自在長椅另一端坐下，微抬下巴又道：「還要一筒米糕！」說著，點了根香菸，拿手撐住下巴，東張西望。一眼看見廣場邊，從前有棵合抱大榕樹的地方，矗立著一幢霓虹閃閃的三層樓酒家，他怔住了。他記得父親說過，新港大半耕讀人家，民風最純樸不過，酒家茶室從未開上兩個月的。現在一切似乎都變了，連行人的衣著也快和台北人沒有兩樣。

他遲疑地掉過身。紫黝黝的夜空襯出媽祖廟青龍彩鳳的飛簷。廟口高懸一副藍色霓虹，上面寫著「天上聖母」四個大字。遠望過去，晦黯的神殿內，只有一對絳紅的長明燈，亮凝凝的，活像有個人坐在那裏瞪著充血的眼睛……

年輕人吃過麵，穿過廣場，走到酒家對面的電影院。

收票的女人正拿著麥克風解釋劇情，懷裏還奶著孩子。忽地「哎唷」低叫一聲，放下麥克風罵道：「夭壽死囡仔！還會咬人！抱去！」

一個花衫女孩抱走了嬰孩。女人扣好衣服，一手拿起麥克風，正準備再說下去。轉眼看見年輕人，她低問道：「票咧？」

「我要找一個人，是不是可以麻煩你——？」

「什麼名？」

「劉孝楨。」

女人點點頭。

一條漬湯湯的黑布半遮不掩，年輕人站在門口，就可以看到戲院裏黑壓壓的人頭。約翰韋恩正翻身下馬，推門入室，房中有個紅髮女人。約翰韋恩脫掉帽子，定定望住她。收票的突然開口：「吻一下啦！」觀衆哄然大笑。紅髮女人嬌瞋地白了韋恩一眼。收票的女人朗聲道：「莫愛啦！」然後：「劉孝楨外找！劉孝楨外找！」反覆三四遍。等了一會兒，沒有人出來。年輕人道聲謝，離開了戲院。

年輕人找到新港鄉農會。孝楨叔不在。

「你有去過你叔公伊厝啊莫？」值夜的男人問。「孝楨有時去伊厝看電視——啊今晚聽講太空人要登陸月球……是啦是啦，你去你叔公伊厝看看。伊若來了，我叫伊去你叔公伊厝找你……」

陳家老宅土紅的長牆外，歇著幾台牛車。三頭黃牛或立或臥，閒閒嚼著甘蔗葉。路燈將蔗葉映得分外青翠。忽忽渡過一陣乾燥的塵沙，牛兀仍無動於衷地嚼著。

年輕人伸手拂去額上的汗水，跨進古瓶式的門，向牆角瞄一眼。父親說，古時曾祖有匹白馬，經常繫在這個天井。幼時他來了總要瞧瞧，希望發現白馬。沒看到馬，卻見幾叢千里香托出一簇簇白花，吐著薰野的濃香。

廳堂洩出的燈光，鋪了半條走道。年輕人還未走到門檻，坐在躺椅的叔公忽然坐直起來，偏過頭，半張嘴，眉毛一擠，將眼鏡拖到鼻尖：「嘿——啓後！」

「叔公！」陳啓後喊道。

「哪時回來底？呷沒？」叔公站了起來，眼鏡握在手裏。

「呷飽啊，叔公。下車就去廟口呷啊。」陳啓後笑著答道。

「進來啊！站在那裏做什？進來……哇！眞大人款了咧，和你爸爸少年時眞肖像。哈哈——坐！坐！坐！」

陳啓後在倚牆的太師椅坐了，將箱子擱到地上。

「啊你何時出去？辦好啊沒？那日東燦底後生台北回來，有講起你要出去了。」

「差不多啊，後日可以拿到護照。如果一切順利，月底就走了。想這一去不知何時再回來，所以回來掃墓，向叔公嬸婆辭行。」

「是——啦！」叔公點點頭。「少年人打拼勤讀書是好。不過，有時也應該回來走走咧啦。太久莫回來，說不定連祖厝向東抑是向西也忘記了咧！——啊你爸爸這陣身體好麼？還是那麼莫閒？」

「還是莫閒，連飯也罕得在厝裏呷。」

「哎——你爸爸就是這樣啦！公事火急急，私事就慢慢啊來！到頭來也莫存下一分半厘。何苦咧？」叔公頓了頓，嘆口氣道：「若不是我這個老歲仔，你們那堵新牆仔再待十年也砌不起來。你阿媽未出國前就日唸月唸。你爸爸罕得回來。回來了也沾醬油那款樣，鬼趕咧又走了。講要修理要修理，只聽得樓梯響。新港人早就閒話來閒話去，街仔頭街仔尾攏在講：陳某人在外面事業做得那麼大，報紙也常有名在出，自己底祖厝卻放著任伊破散下去……」

陳啓後雙手握在小腹上，噤噤挺著。邊聽著話，邊拿眼睛瞄住對牆的電視機。一位大頭方臉的記者正侃侃而談：「太空人……豪士頓的科學家……人類的夢……」

叔公清清喉嚨又道：「待你阿媽出國了，廂房東倒西歪，牆仔缺一角。我這個老歲仔人看得坐不住，才叫你爸爸湊了錢，我出面叫工修理起來。不然哪，整間厝說不定給賊仔搬了了啊咧！」

兩人沈默了一會兒。牆角一座電扇呼呼吹著。那記者還在說著：「太空時代……月宮……嫦娥……」

「叔公，」陳啓後道：「我剛剛回去過，大門鎖著，去農會也不見阿楨叔……」

「哎——喲！」嬸婆掀了細竹門簾走進來，灰布長褲下擺一抖一顫，手上托了個茶盤。

「是你喔！啓後！我講你叔公又在和什人演講咧？」

「嬸婆！」陳啓後站得筆直。

「啓後喔，變得這樣大人款，街仔頭照面我攏不敢認嘍！」嬸婆將托盤擱到八仙桌上。

「大人款嘍！」叔公咳兩聲，笑出一臉皺紋。「人伊也要去美國嘍！」

「是啊，實在也眞快咧！」嬸婆提起赭色小茶壺，斟了兩杯，尖著手端給叔公與陳啓後。「那年仔還拖著嬸婆底手，叫嬸婆帶你去買甘蔗。想起來好似昨日底事。眞快！」

陳啓後紅起臉訕訕笑了。

「你坐啊，你用茶，你剛從外面來一定眞熱。」嬸婆在一旁太師椅坐下。「哇！啊你也要出國啊！眞快！前去就能見到你阿叔阿姑和你阿媽嘍？」

「那也莫一定！」叔公呷了一口茶。「美國那樣大。阿清去了快兩年，也不曾見過伊大房那些孩子……」

「景清叔最近好麼？」

「上禮拜有信來，講伊春天就可以拿到碩士……」

嬸婆忽然緊張地湊過來，尖皺著嘴低問道：

「啊你牙齒有補好啊莫？」

陳啓後答已經補了。

「是啦，要補好再去才好啦。」嬸婆點頭道：「阿清講，美國補牙齒眞貴喔！去年伊拔兩齒，費了眞多錢，換我們底錢，成千塊喔！你阿媽也是補好再出去底——啊你阿媽實在有好命哦！伊這行去美國，一路順序在抱孫。去年初到夏威夷，你三姑就生男底。聽講最近去你五叔伊厝，你五嬸又生了。攏總是男底！——哎喲，啊我顧講話也莫問你呷啊沒？」

「在廟口呷飽啊，嬸婆。」

「廟口不達不齊呷底怎能算數？我去炒一盤米粉你呷。」

「免麻煩啊，嬸婆，我再坐坐就走。明朝透早就得起來去掃墓。還要到嘉義趕十一點半底快車回去台北。」陳啓後轉向叔公問道：「叔公，你知道阿楨叔去那裏嗎？我剛才回去，大門——」

「唉——」叔公剪斷他的話。「這孩子！最近番操操，講什麼要辭農會底頭路，跟朋友出去做生意。今晚說不定又過溪到北港和朋友參商去了——不過，你可以去找五花嬸仔，阿楨有寄一支鑰匙在伊那裏。」

「哎——」叔公嘆道：「也不知是什麼時機啦！這些少年家仔，有腳底就要走！大家攏驚艱苦，不肯住庄腳，甘願去台北台南討生活，入工廠做工也歡喜。弄得瓦窯一年到頭欠手欠腳，刈稻仔也不夠工。」

叔公咳嗽幾聲，走到牆角向痰盂吐口痰，回轉身，背起手踱來踱去。「啊現在阿楨也要去了。伊單只是你阿媽底姪子，算起來也不是我們陳家底人。是講伊若去，你們大房一間大厝怎麼辦？你阿媽也不是一日半時就能回來！——哎！也不知那裏風水壞！會讀書，有本事底，攏總插翅去美國。一條新港街仔算算咧，出國底也不只三十個嘍——你們大房就有四個！啊現在你這個大孫又要走。伊那款莫底底人家要去任伊去，我們陳家可是名門世家，再怎樣講也要回來……古早你爸爸伊去日本，也是讀完就回來，那似今日一去不回頭底！」

陳啓後伸手拈起几上的茶喝了，苦釅釅的，不禁輕皺了眉頭。等叔公歇下來，他趕緊問道：

「五花嬸仔是什人？叔公。」

「啊？哦，就是你們隔壁中藥店底阿婆。你不認識伊是麼？算起來你還要叫伊嬸婆咧。伊外家阿叔和你阿祖是眞好底朋友……」

「啊你們講吧，」嬸婆站起來。「我去炒米粉。」

「免麻煩啊，嬸婆。」

「去去去！」叔公揮揮手。「少年家仔正能呷！」

電視上，兩位太空人正在月球試步，表演慢動作似地浮起飄落。

「哎唷，啊這陣仔又在做什？」嬸婆在八仙桌前一站，笑道：「伊這些美國人喔，實在是有錢莫地花，爬到那月娘頂頭去，那上面又不能住人啊啦！」

——難怪孝楨叔要走……

陳啓後放下手提箱，掏出鑰匙開門。心裏兀仍想著五花嬸仔的那席話，對了幾回，才將鑰匙插進鎖頭。

掩了門，轉過身來，陳啓後不禁驚住了。前進小廳孤零零立在木麻黃樹影裏。邊廂拆得僅存地基。牆角堆著方磚破瓦。天井似乎空曠了兩倍。昔日綠茸茸的高麗草一片焦黃，依稀冒著朽氣。月光把碎裂的石桌映得慘白。

月光照不到的正廳廊下，一點螢光忽上忽下流飛著。陳啓後踩著雜草簇生的石板徑道走過去，開了廳門。脫漆的門板嘎呀開了。他提起腳，跨過門檻。屋內的熱氣夾著一股他熟悉的，舊書，老屋與檀香混合起來的味道烘上來。他摸著黑，找到開關，啪噠亮了燈。

神龕上端吊著「培桂堂」的橫匾，左右兩旁有對聯語：

「培基固本貽謀遠

桂子蘭孫衍慶長」

都是曾祖的手筆。曾祖的遺照掛在通往後天井的門楣上，另一門楣上是祖父的。兩人長相神情各殊，惟有眉毛是一個模子印出來的。父親的，他自己的——陳家的眉毛。

燈光明亮的大廳裏，一切靜止不動。牆上一座大鐘，短針指在「4」，滴噠著另一個世界的時間。陳啓後中了邪似地站著，只覺得那沈緩的鐘聲執著地淹沒了整個空間。一份突來的恍惚抓住他，他恍然聽到紛雜的喧聲笑語像一陣陣風那樣，在廳堂上迴蕩不休……

——是大年夜……壁上吊了許多大幅人像。畫裏的人都穿著繡花長袍，一個個面無表情。爸爸說那是太祖太婆和列代祖宗。媽媽給了我一把香，叫我拜，說拜了，祖先才會保佑我。神案圍著繡有福祿壽三星的桌幃，案上燒著一對大紅蠟燭……每個人，是的，每個叔叔姑姑，都拿著香在拜。拜了，祖先才會保佑。祖母從錦囊取出銀花花的龍元，擺了一個圓。爸爸說那是團圓的意思……燭火挑得很高很高，紅紅的兩朵，彷彿永遠不會熄去……

陳啓後眨了眨眼睛。他很快清楚過來，清清楚楚地知道他就要走了。大家都走了，他只不過是另外一個。陳啓後將〇〇七式小皮箱和大鎖頭拍地放上大理石心的圓桌。

他朝前走了兩步，發現神案上鋪著一片灰塵，香爐一束參差的香腳纏著蜘蛛絲。意識到門楣上的四隻眼睛，陳啓後在景泰藍長頸花瓶後找出幾支香，拿打火機點了，對著神案上的祖宗堂膜拜起來。剛開始他還有點不自在，後來卻被自己的虔誠感動了。

插好香，一屁股坐下，蹺起腳脫靴。把衣服脫得只剩內褲，倒又決定先抽根菸再去洗澡。

坐在太師椅抽著菸，長腳伸到圓桌上，望望香煙裊繞的祖宗堂，他不禁爲方才的舉動訕笑。

笑止時，眼光恰好落在對牆那幅祖父龍飛鳳舞的家訓。小時候，父親喜歡抱他坐在這張椅子上，對他講解家訓的內容。講了不算，還搬出陳家燦爛的事蹟，一遍遍地來說來教。說曾祖如何爲科舉廢止，失去在門前豎根大旗桿的機會而抱撼終生；祖父連鄉試考秀才的時代也沒趕上，卻以醫術超人，能詩善賦而聞達四方。叔叔姑姑不讓先人專美於前：第一名！獎學金！台大！出國！博士！……「人家說好無三代，我們陳家已經好了不止三代，這一代就看你了！」父親總不忘把這句話像他那根菸斗一樣掛在嘴邊。

雖然聽得耳熟能詳，許多草字陳啓後到今天還是認不出。不過，「立志圖功業，光大我門楣」的結語是懂的。面對那句話，他覺得自己是了無愧意的。

這樣想著，他不由抬頭瞄一眼：板著臉的曾祖與祖父，嘴角忽然都有了笑意。他有點不好意思，低下了頭。忍不住再瞧一眼，他們依舊那麼可親地笑著。陳啓後拍拂著赤裸的胸脯，噴出一口煙，腳抖了起來……

後廂房每道門都落了鎖，鎖上糊著白紙，還蓋了印章，陳啓後湊著月光一看，居然是祖父的印——爲了避邪降魔？眞虧祖母想得出來！他聳聳肩笑了。隔著昏霧似的玻璃，往裏眺：屋內影影幢幢堆滿了家具，一方月光中擠著幾張斷手缺腳的椅子。

「噗！」好像有什麼東西拍翅而過。他悚然翻過身，只見浮萍般的葉影躺滿了天井——是燕子吧？陳啓後想。記得後天井穿堂簷下有幾窩燕子，早晚忙進忙出噪成一片的。他豎起耳朵：蟲聲唧唧中，隱約聽到不知那家收音機傳出的哭哭啼啼的歌仔戲，倒沒有燕子的呢喃。

到了澡房，陳啓後脫得赤條條，才發現缸裏僅剩四分水。他猶豫一下，穿上內褲，出去打水。鉛桶落到井底，掙扎又掙扎，提起來，卻半桶不到，混淆淆的，全是泥巴。陳啓後提著鉛桶呆住了。

「也不想自己呷人多少米多少井水！」五花嬸仔的話猛然兜上他心頭。

「我講你阿媽也眞大意。自顧自去美國，攏不知阿楨這孩子多莫頭神！大門起好莫到三個月，鑰匙不時在忘不時在丟，一日到晚爬牆圍仔，到尾仔還是多打一副交我管。人家大厝交你顧，也不放點心思在上面。有閒就四處跑，十晚罕得有三晚在厝內過暝。也不想自己呷人多少米多少井水！哼！四處跑！……」

五花嬸仔坐在中藥舖櫃檯後。略微發白的黑衣漿得挺挺。深黑包頭下貼住幾塊生薑片。抱著水煙筒咕嚕嚕吸了幾口。放下水煙筒，從懷裏叮噹掏出一大堆用白麻繩串起來的鑰匙。解著解著，突然又長江大河起來：

「做人心肝不必太好，太好一定會吃虧啦！我不時這樣跟你阿媽講。伊攏不聽。你阿公早死，孩子四五個，又去飼別人底；現在人家連你底厝也不肯好好照顧。對自己底孩子也一個個奉侍得像太子！講什麼孩子會讀就讓伊讀，中學就要去嘉義通學，大學就要去台北念。有地賣到沒地，一個個給伊去美國。如今呢，到老還要去那美國給伊飼，實在是老歹命！照我講，要孝要順回來孝順！叫我一把老骨頭顚到那美國去？——莫生子也強些……」

——難怪孝楨叔要走！陳啓後站在井邊搖搖頭。天天聽這些老頭子老太婆唸經說教，不走鐵要瘋！

那若有似無的歌仔戲，驟然鑼鼓齊鳴地喧噪起來。

陳啓後抬抬眼。樹梢上，月是福福泰泰的圓，昏黃的。想著不久就要在另一塊大地上看同一個月亮，他笑了。

——哦，別忘了，他對自己說，後天領了護照後，要到中山北路TWA買由舊金山到芝加哥的機票——芝加哥：薇薇在那裏等著我呢。她信上說，她留了長頭髮，一定更漂亮了。我眞怕見面當天會忍不住就要和她結婚——當然不行的！先拿了碩士再說。結了婚還要唸博士！他們說，從芝加哥到春田城，坐灰狗車很快就到——春田！一定是個很美的地方，有個湖，他們說——我可以在放假時去看她，不，叫她來春田看我。要趕快學會開車！在美國沒車子簡直寸步難行。聖誕節我們可以到紐約四叔家過。我們要一起爬到帝國大廈的最頂層。還要拍照片寄回來：我摟著薇薇，背景是紐約的摩天大樓，天空飄著雪……

——紐約，芝加哥，春田……他望住月亮，心底大聲叫道：美國！我來了！

薇薇，我的小薇薇：

也許我的人會比這封信早到。一想起馬上可以看到你，心就像長了翅膀一樣！到了舊金山第一件事就是打電話給你。包機是十八號下午三點到，芝加哥時間是幾——媽的！沒墨水了！陳啓後甩甩鋼筆，還是寫不出來。他推開航空郵簡，一眼瞥見屋角書架上有瓶派克墨水，走過去！開了，卻是乾涸的，只得回來打開抽屜翻尋起來。

抽屜像個百寶箱：針線，萬金油，缺皮的「老殘遊記」，禿頭毛筆，橡皮，扣子，狄克遜英文成語，稅單，龜裂的雨花台墨……什麼都有，除了墨水。最底下一層擠滿了發黃的冊子。他拿出一看，竟是祖父簽發的死亡證明書副本。時間是昭和十三年。劉喜妹，心臟病。

吳炳炎，胃癌。洪發，肺癆。楊老達，破傷風……他一頁頁翻過去，心隨紙聲刷刷不安起來——這屋子就是莫名其妙的廢物太多！他衝動地將幾本冊子抱起來，搬到後天井穿堂廊下，拿打火機燃了。

紅艷艷的火舌騰上來，映亮了廊道上乾枯的燕屎，廊前的相思樹。火勢逐漸熄落，紙燼像一隻隻焦黑的手掌朝內蜷曲，指縫上走著絲絲火星，一閃就不見，一閃就不見。樹隙綿延過一陣咻嗦，那黑膚膚的紙灰霍地站了起來。陳啓後不由退倒兩步，又忙忙上前狠命地踩。

忽地頭上掠過一團黑影。他定神看去，一隻蝙蝠正展翼撲向昏黃的月，陳啓後三腳兩腳踩熄最後幾紋火，慌忙進了書房。關上門，抓了把掃帚掃了掃榻榻米，壁櫥搬出枕頭被單，熄燈躺下，呼吸才慢慢平勻過來。

半缸水洗的澡，這一折騰又是滿身汗。好容易朦朧過去，有些東西噗噗落在他小腿上。他挪挪腿。又掉下來了。他拿手去摸，砂砂一小粒一小粒，一粒粒像雨後的簷滴不斷落下來。正詫異著，又聽到天花板上吱呀吱呀響著。原來是蛀蟲！陳啓後爬起來，揚揚被單，換了地方重新躺下。

一片悄寂中，天花板上的蛀蟲拉鋸似地啃得叫人心煩。陳啓後翻個身，望住眼前的漆黑，靜靜地想：明天回家要告訴爸爸，老家老了，賣掉算了，反正祖母回來可以住到台北，再也沒有人會回新港住了……

近凌晨時，天變了臉，閃電悶雷地下了場雨。雷雨過後，國民小學操場濕得黃濡濡的。路邊那排尤加利樹的葉子不住迎風翻躍，折出許多綠亮的陽光。

陳啓後拎住小皮箱，趕過一台牛車，大步朝車站走去：預定六點鐘起床上墳去，不想一覺醒來已經八點出頭了。趕車子要緊，他想，台北一大堆事要辦，反正回家可以說掃過墓了，爸爸也不會曉得。

候車室裏，十來個旅客排著隊，等候剪票，嗡嗡一片人聲。一隻母雞領了幾隻雛雞在人隙穿進穿出。陳啓後買了票，正準備去排隊，一個深藍制服的站員走進來，宣佈火車誤了點，要晚到二十分鐘。

——媽的，又誤點了！昨天慢了十多分，今天更糟！陳啓後咬起牙在心底罵道。來來回回踱了幾步，卻又淡然：罷了罷了，反正是最後一次。怎麼慢也不致於誤了十一點半的快車吧。

他提著小皮箱踱到車站外。車站欄柵邊，一棵綠蔭蔭的榕樹下，一個賣甘蔗汁的正揮手趕蒼蠅。他瞅一眼，走進候車室，又折回來，過去叫了一杯。

小販有點上了年紀，黧黑起皺的手背滿是斑痕：扭轉那輪壓榨機時，一網青筋便突暴地跳起來。他倒滿一杯，拿毛巾抹抹杯緣，巍顫顫地拿雙手捧住遞給陳啓後。

陳啓後仰起頭一口氣喝完，放下杯子，卻見那老人蝦著腰，作揖似地合著雙手，拿滯渙的眼睛巴巴凝視他。他有點不自在，付了錢，走幾步，回盼一下，果然老人還望著他。

——也許我使他想起爸爸吧，大家都說我長得很像爸爸。新港這麼小，碰來碰去都可能是親友。誰曉得，說不定我還得叫那老頭什麼叔公伯父呢！

他揚揚眉，聳了聳肩——喉口有點癢，他歪個頭「咳呸！」吐出一口唾沫。

火車馳過那片浴滿朝陽的甘蔗田時，那個名叫陳啓後的年輕人，一手扶住膝上的〇〇七式小皮箱，一手由褲袋掏出手帕擦汗。擦著擦著，一件銅亮的東西掉到地上——是那支鑰匙，照著車窗瀉入的陽光，金燦燦的。他愣起眼盯住它，然後，彎下身去撿了起來。

他打開黑色小皮箱，把鑰匙丟進去，啪噠一聲又將箱子閉闔了。

一九七〇年愛荷華

INK PUBLISHING 文學叢書 4

蟬

作　　者　林懷民
總 編 輯　初安民
責任編輯　陳健瑜
美術編輯　黃昶憲
校　　對　陳嫵文　黃筱威　林懷民

發 行 人　張書銘
出　　版　**INK** 印刻文學生活雜誌出版股份有限公司
新北市中和區建一路 249 號 8 樓
電話：02-22281626
傳真：02-22281598
e-mail：ink.book@msa.hinet.net
網　　址　舒讀網 http：//www.sudu.cc

法律顧問　巨鼎博達法律事務所
施竣中律師
總 經 銷　成陽出版股份有限公司
電　　話　03-3589000（代表號）
傳　　真　03-3556521
郵政劃撥　19785090　印刻文學生活雜誌出版股份有限公司
印　　刷　海王印刷事業股份有限公司

港澳總經銷　泛華發行代理有限公司
地　　址　香港新界將軍澳工業邨駿昌街 7 號 2 樓
電　　話　852-27982220
傳　　真　852-31813973
網　　址　www.gccd.com.hk

出版日期　2002年 4 月　初版
2019年 6 月　初版五刷
ISBN　978-986-710-842-5
EAN　4710227300697

定　　價　300元

Published by **INK** Literary Monthly Publishing Co., Ltd.

國家圖書館出版品預行編目資料

蟬／林懷民著；初版，
－－新北市中和區：INK印刻文學，
2002.4　面；15×21公分（文學叢書；4）
ISBN 978-986-710-842-5（平裝）
857.63　91006398